Destinados

Indigo Bloome

HIMMEL

2013, Editora Fundamento Educacional Ltda.

Editor e edição de texto: Editora Fundamento
Capa: Jane Waterhouse, HarperCollins Design Studio
Fotografia de capa: John Paul Urizar
Editoração eletrônica: Bella Ventura Eventos Ltda. - ME (Lorena do Rocio Mariotto)
CTP e impressão: SVP – Gráfica Pallotti
Tradução: Capelo traduções e versões Ltda (Neuza Maria Simões Capelo)

Copyright © Partners Pty Limited 2012

Publicado originalmente em inglês em Sydney, Austrália, por HarperCollins Publishers Australia Pty Limited em 2012. Esta edição em português é publicada conforme contrato com HarperCollins Publishers Australia Pty Limited

Todos os direitos reservados. Nenhuma parte deste livro pode ser arquivada, reproduzida ou transmitida em qualquer forma ou por qualquer meio, seja eletrônico ou mecânico, incluindo fotocópia e gravação de backup, sem permissão escrita do proprietário dos direitos.

Dados Internacionais de Catalogação na Publicação (CIP)
(Câmara Brasileira do Livro, SP, Brasil)

Bloome, Indigo
    Destinados / Indigo Bloome; [versão brasileira da editora] – 1. ed. São Paulo, SP: Editora Fundamento Educacional Ltda., 2013.

    Título original: Destined to Play

    1. Ficção inglesa - Escritores australianos
    2. Histórias eróticas I. Título.

12-15382   CDD-823

Índices para catálogo sistemático
1. Ficção: Literatura australiana em inglês 823

Fundação Biblioteca Nacional

Depósito legal na Biblioteca Nacional, conforme Decreto nº 1.825, de dezembro de 1907.
Todos os direitos reservados no Brasil por Editora Fundamento Educacional Ltda.

Impresso no Brasil

Telefone: (41) 3015 9700
E-mail: info@editorafundamento.com.br
Site: www.editorafundamento.com.br

Este livro foi impresso em papel pólen soft 80 g/m² e a capa em papel-cartão 250 g/m².

Para minha mãe. O amor incondicional, o apoio e o estímulo que ela me deu desde que nasci me permitiram viver meus sonhos muitas e muitas vezes.

– Já se sentiu como se o seu destino fosse uma brincadeira?
– Só em sonho...

Prefácio

Se eu soubesse o que sei agora, as coisas seriam diferentes?

Embora eu não tenha certeza de como e por que tudo mudou tão drasticamente e tão depressa, a vida continua como se nada tivesse acontecido. Começou com um fim de semana que, hoje penso, talvez nunca devesse ter acontecido. No fundo da alma, porém, carrego a vaga impressão de que tinha de ser...

Fui envolvida em um furacão psicológico e sexual que chegou sem previsão ou aviso. Ou será que não percebi os sinais? De todo modo, o que aconteceu, aconteceu, e o que será, será. Só não sei como vai acabar nem se sobreviverei à jornada.

Parte 1

"Não existe trabalho de homem que seja tão árduo ou de tanta responsabilidade quanto o da mulher que cria os filhos; ela precisa empregar sua força e seu tempo, não somente por todas as horas do dia, mas frequentemente por todas as horas da noite."

– Theodore Roosevelt

Antes de sair, verifico se tudo está em ordem para a família.
Arrumei as mochilas das crianças.
Preparei comida extra.
Organizei o material para os dias ao ar livre.

Jordan e Elizabeth vão passar uma semana na mata, em sua primeira excursão. Pela natureza das atividades que serão desenvolvidas, os pais foram convidados a participar. Do ponto de vista materno, é uma ótima ideia, mas todas sabemos que vamos começar a sentir saudade logo na primeira noite. As crianças ficaram arrasadas com o quase cancelamento da excursão, porque a Tasmanian Wilderness Foundation ofereceu apoio e recursos insuficientes. Ainda bem que um patrocínio de última hora, da Fathers4Kids, viabilizou a excursão. Jordan e Elizabeth estão animadíssimos. Há anos não via Robert, meu marido, tão entusiasmado com uma aventura. Deve ter alguma ligação com as tendências exploratórias dos homens – o misterioso lobo da Austrália é um exemplo perfeito – ou talvez ele só esteja satisfeito por ficar longe de mim. Por causa da ansiedade pela grande aventura de percorrer a mata da costa oeste da Tasmânia, à procura do esquivo tigre, na véspera ninguém dormiu.

Decidi aproveitar a ausência das crianças para completar uma série de palestras que vinha adiando havia meses, à espera da "hora certa". Assim, preparo-me para voar a Sydney, Brisbane, Perth e Melbourne, e transmitir minhas mais recentes descobertas a estudantes de pós-graduação, acadêmicos e outros profissionais da mesma área de especialização.

Preciso me concentrar na primeira palestra, esta tarde em Sydney. Faço a checagem mental: anotações, transparências, temas para discussão, perguntas do *workshop*, *laptop* e telefone celular – tudo em ordem. Estou fascinada pela pesquisa que venho fazendo sobre estímulos visuais e seu impacto sobre o desenvolvimento da percepção, e me pego pensando no trabalho, considerando uma interpretação diferente para as perguntas que desenvolvi com a intenção de motivar a plateia.

De repente, tomo consciência das borboletas no meu estômago. A movimentação é tão intensa, que preciso me encostar à bancada da cozinha, para manter o equilíbrio. Que estranho... Não costumo ficar nervosa antes das palestras. Pelo contrário, até gosto. O desafio de alcançar novas mentes, de ver as inteligências competindo em busca de um conhecimento mais amplo e profundo – fantástico! De onde vêm essas borboletas?

Por um momento, investigo as sensações. Quero saber a origem delas. Para alguns, pode parecer estranho, mas as borboletas sempre me intrigaram. As de hoje são mais vivas, e com certeza não é a palestra que provoca isso. Talvez seja o tempo longe da família. Não, já me afastei antes, quase sempre a trabalho. Amplio o cenário e incluo o fim de semana, parando novamente ao sentir o estômago vibrar. Para minha surpresa, a ideia do encontro com Jeremy no Hotel InterContinental, às 17 horas, me faz suspirar.

Dr. Jeremy Quinn. Colega de universidade, melhor amigo, o homem que me abriu os olhos e o corpo para o mundo, como jamais julguei possível. Ele me conhecia por dentro e por fora, quando éramos mais jovens e compartilhávamos um número incrível de experiências. Difícil acreditar que, depois de todas as nossas loucuras no tempo de universidade, Jeremy seja agora um dos mais ilustres e respeitados médicos pesquisadores da Australásia. Não consigo dizer "do mundo" porque, afinal, trata-se de Jeremy. Ele acaba de apresentar uma pesquisa revolucionária na Harvard University, com o professor emérito E. Applegate.

Jeremy sempre gostou de desafiar o saber e os limites convencionais, continuamente em busca de soluções desconhecidas, inesperadas ou inimagináveis para os mais complicados problemas médicos. Há pouco tempo li no jornal que ele se reuniu com Melinda e Bill Gates em Nova York, para tratarem da tal pesquisa. Parece que ele entrou para o círculo das pessoas mais influentes do mundo. Acho que eu sempre soube de sua determinação e de seu potencial para alcançar a excelência na área que escolheu. O incrível é que tenha chegado lá antes dos 40 anos. Jeremy é um ser humano de excepcionais qualidades, tanto intelectual quanto emocionalmente, e as pessoas adoram a companhia dele. Foram essas características, aliadas ao trabalho árduo, que o levaram ao sucesso.

Enquanto preciso adaptar a carreira à vida familiar (às crianças, em especial), a carreira de Jeremy é a vida dele. Ele sempre se dedicou a buscar a cura, e esteve envolvido em descobertas que o mundo ocidental atualmente considera corriqueiras. Com esse tipo de motivação pessoal e dedicação, não admira que lhe falte tempo para estabelecer-se e encontrar alguém especial para compartilhar a vida. Eu, pelo menos, não sei de ninguém. Jeremy sempre atraiu o sexo oposto, como um George Clooney do mundo da Medicina. Carente de atenção ele não é, com certeza.

De todo modo, isso faz meu estômago vibrar, o que é absolutamente ridículo na minha idade. Deixo escapar um sorrisinho ao perceber, meio divertida, que ainda sou capaz dessa reação típica de adolescente. Estar prestes a encontrar Jeremy depois de tanto tempo me deixa alvoroçada e um tanto nervosa. As lembranças de nossos dias de estudantes continuam vivas, e me assaltam sempre que estou só e me sinto mais sensual, sobretudo nas primeiras horas da manhã...

O que está acontecendo? Se não me apressar, vou perder o avião!

– Pronto, crianças? Onde estão vocês? Preciso de beijos e abraços antes de ir embora. Não vamos nos ver por dez dias inteiros!

Recebo carinho de todos os lados. Digo que os amo mais que tudo e desejo que vivam uma aventura fabulosa no oeste selvagem, em busca do tal tigre arredio. Dizem que foi visto um por lá recentemente, mas deve ser história. Até parece que o bicho vai aparecer, logo em um acampamento de estudantes! Mas nada destrói a empolgação e o otimismo do grupo.

– E cuidem-se!

Com este último aviso, digo que já estou ansiosa para saber de todos os detalhes da experiência. Um toque de buzina indica que o táxi chegou. Uma última checagem garante que tudo está em ordem. Felizmente as borboletas se acalmaram, afinal. Com um beijo que mal roça o rosto do meu marido, digo que cuide muito bem das crianças. Um pensamento fugaz me passa pela mente. Quando foi que nosso casamento se tornou tão distante, tão platônico? Mas tenho muito em que pensar, e rapidamente desejo a todos um ótimo passeio, aceno em despedida e jogo beijos, enquanto ele zelosamente guarda minha mala no carro. O táxi pega a estrada, rumo ao aeroporto.

***

"Foco, foco, foco!" – repito para mim, mas de pouco adianta. Minha mente hoje está completamente desfocada, o que é raro. Ouço o comandante dizer que o tempo está bom, e o curso, livre; não se esperam atrasos. O comissário de bordo me manda ajustar o cinto e erguer a bandeja, para a decolagem. "Como se eu não soubesse!" Fico surpreendentemente irritada, mas obedeço de pronto. Nada de cenas. Enquanto o avião manobra para pegar a pista, deixo de lado as anotações e fecho os olhos. Meu peito sobe e desce levemente, a cada vez que respiro. A imagem de Jeremy me vem à mente – o sorriso largo, os olhos esverdeados e profundos... Seus dedos acariciando meus mamilos... que despertam...

O que estou fazendo? Eu me forço a interromper os pensamentos. Que absurdo! Preciso voltar ao aqui e agora. Então, percebo que estamos no ar e posso desafivelar o cinto. Solto um suspiro de alívio. De volta à palestra. Digo para mim que sou suficientemente disciplinada; não faz sentido deixar a mente vagar, nem que seja por um segundo.

Sou realmente disciplinada. Minha casa, minha carreira e minha vida são organizadas. Amo a família e o trabalho. Estudei muito para chegar aonde cheguei. Dra. Alexandra Blake. Graças a minha atuação no comércio e na Psicologia, transito entre o mundo empresarial e o mundo acadêmico. Essa combinação rendeu bem financeiramente, e agradeço por ter a sorte de amar meu trabalho, por ser apaixonada pelo que faço. Bem, chega de conversa; preciso pensar na apresentação de hoje.

Mais uma vez passo em revista o assunto que vou abordar para cerca de quinhentas pessoas, daqui a poucas horas. Finalmente me concentro. Penso em levantar mais algumas questões, para abrir a discussão e promover o raciocínio. Gosto da ideia e tomo nota dos seguintes tópicos, que serão usados ao fim da sessão:

✓ Qual é a importância da percepção visual para o seu estado de espírito?

✓ Qual é o seu nível de dependência do estímulo visual para interpretar o mundo?

✓ Na sua opinião, quais são os melhores sentidos para compensar a falta de percepção visual? Por quê? Como?

As pesquisas demonstram que a linguagem corporal – um sentido visual – responde por mais de 90% da comunicação entre as pessoas. Assim, esse tipo de pergunta adquire extrema importância.

Absorvida pelo trabalho, eu me sinto bem mais calma. O restante do voo é tranquilo, e chego ao aeroporto de Sydney no horário previsto.

***

– Dra. Blake, bom dia, é bom recebê-la novamente.

Encontro o sorriso do meu examinador do doutorado, Samuel Webster.

– Bom dia, professor. É bom estar de volta.

– Você sabe que é sempre bem-vinda, Alexandra. Há quanto tempo! Parece difícil tirá-la da sua ilha no sul.

– Humm, faz muito tempo, mesmo. O tempo voa quando a gente gosta do que faz.

– É bom ouvir isso. Com certeza tem andado ocupada com as pesquisas. Estamos ansiosos pela sua palestra de hoje.

– E, como sempre, estou ansiosa para ouvir as suas ideias e absorver o seu conhecimento. Obrigada pelo apoio a este *workshop*.

– O prazer é meu, querida, o prazer é meu. Tem um tempinho para almoçar com alguns colegas, antes de seguir para o auditório?

– Para o meu professor, Samuel, sempre tenho tempo.

Sorrio novamente enquanto ele me guia pelo gramado, junto aos belos prédios históricos. É bom estar de volta.

Durante o almoço com Samuel, penso na honra que foi tê-lo como orientador do meu doutorado. Ele é especialista em comportamentos defensivos (passivos e agressivos) na força de trabalho, e isso muito me ajudou no desenvolvimento da minha tese. Seus contatos internacionais nos mundos corporativo e acadêmico são importantíssimos, e seu conhecimento é imenso. Ele vem trabalhando em parceria com o Brain and Mind Research Institute, o que lhe permite analisar, à luz da Neurociência, muitas das hipóteses revolucionárias que apresentou sobre comportamento e sexualidade. Considero seu trabalho realmente fascinante, e nosso encontro só confirma a paixão e o compromisso com que ele trata esse ramo da pesquisa.

Eu me pego refletindo quanto ao impacto de Samuel sobre a minha carreira. O apoio e os sábios conselhos que recebi dele, quando a tarefa parecia complicada demais, me levaram a persistir, tanto por ele quanto pelo meu futuro. Samuel orienta os alunos de doutorado com firmeza, e não permite que deixem de explorar um aspecto sequer. Sorrio por dentro, pensando naqueles anos de loucura e frustração, satisfeita e aliviada por terem passado.

Samuel me ofereceu uma cadeira na Sydney University, e não ficou nada satisfeito quando recusei, para assumir uma posição similar na University of Tasmania. Sinto-me em dívida com ele, pelo muito que me ensinou, mas Samuel entendeu minhas razões; sabia que era uma opção de vida, em especial com filhos pequenos. Prometeu que manteria contato e me apoiaria no que fosse preciso, tanto profissional quanto pessoalmente. E tem sido um homem de palavra. Ele me ajudou a iniciar a pesquisa sobre percepção visual, de que mais recentemente tornou-se o principal patrocinador acadêmico. Por isso estou aqui hoje.

Fico emocionada quando Samuel me apresenta à equipe de, nas palavras dele, "pesquisadores de elite", que parece beber suas palavras. Não mudei muito desde os tempos de pós-graduação. Brad, Max, Denise e Elijah – todos fazem trabalhos fascinantes no campo da Psicologia e da Neurociência. Interagir com eles faz com que me sinta viva outra vez, mas a conversa certamente não caberia em um jantar comum. A qualidade da pesquisa logo se evidencia, e seria uma falha deixar de mencionar como estou encantada. A capacidade das pessoas envolvidas na discussão apaixonada faz com que os comentários circulem pela mesa tão rapidamente, que quase não consigo acompanhar.

"A fonte do orgasmo feminino ainda não foi cientificamente determinada, ao contrário do orgasmo masculino, que tem recebido recursos, tem sido pesquisado e confirmado sob critérios médicos."

"Basicamente, a ciência vem se recusando a reconhecer a realidade física da ejaculação feminina, que infelizmente não é considerada uma prioridade. A falta de financiamento compromete a coleta de informações coerentes sobre o comportamento sexual da mulher. Estamos tentando mudar isso."

"Ainda hoje existe uma visível dissociação entre Medicina e Ciência, no que diz respeito ao orgasmo na mulher, a ponto de a ejaculação feminina ser confundida com incontinência urinária por esforço."

"Já reparou como não se chega a um consenso, em termos médicos, sobre a fonte do orgasmo, se é uterino, clitoriano, vaginal ou vulvar, ou uma combinação desses? E olhe que o conceito de orgasmo feminino aparece na literatura ao longo da História!"

"O principal problema é a falta de participantes capazes de gerar o fluido orgástico em um ambiente clínico."

"Sem um acordo quanto à maneira mais efetiva de gerar o orgasmo feminino, é extremamente difícil determinar a origem."

"O ambiente e os estados físico, emocional e hormonal da mulher parecem exercer papéis significativos, mas no estágio em que estamos fica impossível descobrir o que é mais importante. Como as hipóteses são muitas, estamos pesquisando mais intensamente as conexões neurológicas, para desenvolver novas teorias."

A esta altura, imagino uma enfermaria de hospital cujas camas estão ocupadas por mulheres de roupão branco, pernas abertas, tentando provocar um orgasmo para ser recolhido em um tubo de ensaio. Sacudo rapidamente a cabeça, para afastar a imagem perturbadora, e reparo que mal toquei na comida, tão interessada estou no rumo da conversa.

Em determinado momento, Samuel conclui:

– Como vê, minha cara Alexandra, existe muito a ser discutido e compreendido acerca da complexidade do orgasmo feminino, inclusive o impacto de componentes intelectuais e emocionais. Trata-se de uma pesquisa subjetiva, pessoal, e depende claramente da experiência de cada mulher com o orgasmo. Queremos desenvolver uma abordagem mais consistente em relação às pesquisas e às conclusões.

Estou encantada com a história e o mistério que cercam o assunto. Não fazia ideia de que houvesse tanta controvérsia em termos de Medicina, transformando a pesquisa em "tabu", à falta de melhor denominação. Como é possível que o orgasmo feminino seja tão pouco estudado, quando o orgasmo masculino é fato consumado? Fico absolutamente chocada, para dizer o mínimo. Mal acredito no que ouço – e não acreditaria, mesmo, se as informações não viessem daquelas pessoas ali reunidas. Engulo rapidamente algumas garfadas de comida, antes que Samuel e sua turma me desejem boa sorte, para tomarmos o caminho do auditório.

– Que tal se juntar a nós para uns drinques hoje à noite, em homenagem aos velhos tempos? Tenho certeza de que o pessoal vai gostar de conversar com você sobre os resultados das pesquisas até aqui.

Samuel faz o convite com os olhos brilhando, enquanto eu sinto o rosto queimar.

– Você sabe que eu adoraria, mas tenho outros planos para depois da palestra.

– Claro, querida, foi só um convite.

Por alguma razão, um riso nervoso me escapa, como se eu fosse apanhada mentindo.

– Na verdade, vou encontrar um colega de universidade. Jeremy Quinn. Talvez se lembre dele.

Tento ao máximo manter um tom de voz neutro, mas é difícil, já que a simples menção daquele nome faz meu coração disparar.

– Lembro, sim. O dr. Quinn está agitando o mundo da Medicina e causando sensação nos Estados Unidos, com suas pesquisas sobre depressão. Ele trabalha com o professor Applegate, não é?

Eu deveria saber que Samuel está mais bem informado do que eu quanto às últimas notícias do mundo acadêmico.

– Acho que sim, mas li a respeito, não soube por ele pessoalmente.

– Dê lembranças minhas. Muito talentoso o dr. Quinn. Os laboratórios farmacêuticos vão se interessar pela pesquisa, com certeza. O sortudo não vai ter as dificuldades financeiras que nós temos.

Nem tenho tempo de pensar no que o professor disse, porque minha mente logo se volta para a palestra que vai começar em alguns momentos.

– Dou, sim. Muito obrigada por tudo, Samuel. Adorei revê-lo. Desejo tudo de bom para você e a sua equipe. Se eu puder colaborar, me diga.

De repente, lembrando a conversa da hora do almoço, já não estou completamente certa se esse foi um comentário adequado.

– Com certeza, querida. Vá em frente. Sucesso!

Nós nos despedimos com um último abraço. A apresentação vai começar.

***

Que bela tarde de sexta-feira em Sydney! As pessoas se aquecem ao sol radiante. Esta cidade sabe ser encantadora, quando é preciso. O porto fervilha com iates e balsas de transporte indo e vindo. As cores são vivas.

Funcionários dos escritórios preparam-se para viver o fim de semana, que começa vibrante ao longo do cais. Vejo animados representantes do *"beautiful people"* bebendo e rindo, como se acabassem de sair das páginas da revista *Vogue*. Eu me lembro de quando era uma daquelas garotas, focada na carreira, mas livre como o vento, com o tempo pela frente e algumas ideias do que o futuro poderia reservar. A prioridade era o fim de semana, do pôr do sol em diante, e a decisão sobre o que beber primeiro.

Foi em uma dessas noites que o meu relacionamento com Jeremy passou de melhores amigos em constantes brincadeiras a uma amizade colorida de alta voltagem. Quando o táxi passa pelo lugar onde tudo começou, não posso deixar de lembrar o desejo e a paixão que compartilhávamos. À lembrança, eu me remexo no assento.

Na época, durante as férias na universidade, eu acabara de ser contratada por um dos quatro grandes bancos da cidade. O trabalho não me atraía muito, mas garantia a verba da diversão, e os colegas eram simpáticos. Além de ficar livre dos estudos por alguns meses, eu não confessava, mas gostei de usar *tailleur* e sapato alto. E minha mãe me deu uma bolsa sensacional, que tenho até hoje...

– *Oi, Jeremy, hoje tenho um compromisso de trabalho...*

– *É, estou animada. Vou ao Wentworth e encontro as meninas lá pelas nove, para beber e dançar.*

– *Claro, que venham também. A gente se vê lá.*

– *Sem problema. Legal. Até mais.*

Desligo o telefone.

Jeremy parece mesmo ansioso por nos encontrar. Humm, e se ele gostar de Eloise? A maioria dos rapazes se interessa por ela... Talvez eu deva falar alguma coisa... As meninas dizem que ela está numa fase de explorar o outro lado, ou seja, o sexo feminino, mas não houve como confirmar ou negar... Tenho certeza de que vai tocar no assunto, quando estiver pronta... Melhor eu não me meter... O que tiver de ser será...

Esses encontros de trabalho são ótimos, por causa da comida e da bebida de graça. A gente fica um pouco, até achar que é hora de começar mesmo a noite de sexta-feira. Então, direto para o clube. No banheiro feminino, nos livramos do casaquinho, da meia-calça, abrimos alguns botões da blusa, levantamos os seios, soltamos os cabelos, reaplicamos o pó, o rímel e o batom. Saímos de lá poderosas e renovadas, prontas para aproveitar a noite.

A música pulsa, e, como já bebemos alguns espumantes, caímos na pista – como só garotas em grupo sabem fazer. Eu me entrego à música, dançando de olhos fechados, quando mãos fortes me agarram pela cintura e me puxam para trás. Por instinto, sei que se trata de Jeremy, e me volto alegremente para ele, sem perder o ritmo. Por alguma razão, estamos em perfeita sincronia; nossos corpos se movimentam como se fossem um só. Difícil resistir à sensação do corpo dele contra o meu e à batida da música. Isto, sim, é calor... Com "C" maiúsculo! Parece que um ímã nos aproxima, e uma estranha energia flui entre nós. Eu não quero que ele se afaste... Alguma coisa muda quando mergulho em seus olhos escuros, francamente hipnotizada pela intensidade de sua essência. O que há de errado comigo esta noite? Meus hormônios represados parecem prestes a explodir.

A música muito alta me impede de ouvir o que Jeremy diz. Ele me pega pela mão e me leva para um canto protegido, aonde o som chega levemente abafado. Então, me segura com delicadeza pelos ombros, mas o que realmente me prende é sua presença sedutora. O corpo vigoroso é valorizado pela camisa preta. O rosto parece brilhar, junto ao meu, depois do encontro na pista de dança. Preciso de um momento para recuperar o fôlego. É como se eu notasse pela primeira vez aquele irresistível magnetismo sexual. Abro um pouco a boca, tentando fazer mais oxigênio chegar ao cérebro.

–Minhas mãos querem agarrar você, AB.

Jeremy parece precisar mesmo fazer força para manter as mãos na parede.

– Então me agarre.

Com certeza o desejo me faz produzir uma onda de feromônios sexuais que despertam essa atração.

Levo aos meus lábios a palma direita dele, dou-lhe um beijinho no dedo médio e, delicadamente, faço a mão deslizar rumo ao meu seio. Ele arregala os olhos quando sigo viagem para baixo, até encontrar a passagem secreta sob a minha saia. Sem desviar o meu olhar do olhar dele, abro um pouco as pernas e ajudo seu dedo a escorregar por dentro da calcinha, indo direto "ao ponto".

– Uau, Alex, você está molhadinha...

– É, estou... Tem uma solução para o meu problema?

A expressão de Jeremy reflete o choque provocado pelo que acaba de ouvir. Engraçado, devo admitir que jamais imaginei aquelas palavras saindo da minha boca. Mas saíram. Um tanto atordoados, nós nos encaramos em silêncio, como se nos questionássemos, tentando entender aquela nova realidade.

Visivelmente compelido a agir, de imediato Jeremy retira a mão, que deixa um rastro por onde passa, me pega pela cintura e me guia de volta ao lugar de onde viemos. Quase tropeço atrás dele. Será que eu o ofendi? Talvez não devesse ter dito aquilo...

Por pouco não caímos, quando ele para de repente.

Jeremy pega minha bolsa, segue direto para a pista de dança e grita alguma coisa no ouvido da amiga que me acompanhava. Ela acena e sorri para mim. Sem entender, encolho os ombros e aceno de volta, antes de ser arrebatada para fora do clube pela porta da frente.

– O que está acontecendo?

Jeremy não responde. Entrou no modo "ação".

Quando chegamos à rua, ele me solta a cintura e entrelaça os dedos nos meus. A música alta ainda ressoa nos meus ouvidos.

– Você não quer falar comigo?

Pode ser que ele esteja furioso. O que estou pensando? Talvez eu tenha arruinado a nossa amizade.

Subimos a rua, e caminho ofegante ao lado de Jeremy. Parece que vamos para o parque. Ao pisar na grama, ele me toma nos braços e segue em silêncio, ao luar, até encontrar uma árvore de tronco especialmente grosso para que eu possa ficar de pé, apoiada nele. Depois de deixar minha bolsa no chão, ele pega meu rosto e suga minha boca com tal ferocidade, que me empurra contra a árvore. Seu corpo me imobiliza, e estou cheia de desejo. Ele tira um preservativo do bolso, abre a calça jeans em tempo recorde e coloca... É a primeira vez que vejo o pênis de Jeremy, e, embora esteja escuro, que visão! Quando seus olhos flagram o meu olhar, ele sorri maliciosamente.

– Pronta?

Sem hesitação, sinalizo que sim.

Jeremy suspende minha saia até a cintura e me abaixa a calcinha. Em seguida, dobra meus joelhos, puxa a calcinha e guarda no bolso. Não posso deixar de achar a estratégia interessante; nada convencional, mas interessante.

Ele puxa minhas pernas para cima, fazendo com que lhe envolvam a cintura. Com as costas apoiadas no enorme tronco, passo meus braços pelo pescoço dele. A casca da árvore me espeta através da blusa de seda. Por uma fração de segundo eu me preocupo com a possibilidade de rasgar o tecido, mas logo concluo que isso não tem a menor importância. Jeremy parece hesitar, mas faço que sim novamente, confirmando que estou mais do que pronta. Passamos tempo demais em brincadeiras e provocações platônicas; a eletricidade sexual acumulada entre nós quer explodir. Nós precisamos disto, e tem de ser AGORA.

Ele entra em mim.

E é maravilhoso!

Ele entra outra vez,

E é mais maravilhoso...

De novo!

De novo!

Ele vai mais fundo.

Estou adorando.

Ao ver a lua, eu grito em homenagem a tanto esplendor – o dela e o nosso. Jeremy explode dentro de mim. O desejo que sentimos um pelo outro foi reconhecido fisicamente afinal.

Será que alguém pode nos ver? Será que alguém nos viu? Que vejam...

Ficamos horas no gramado nos admirando, conversando, rindo, brincando, até o dia clarear. Como quem sai de um vazio do tempo, nos jogamos em um táxi. Adormeço encostada no ombro dele, e só acordo horas depois, na minha cama. Os gravetos presos aos cabelos e as folhas de grama grudadas à saia comprovam que minha primeira vez com Jeremy aconteceu mesmo. Não foi sonho. A calcinha nunca voltou para casa...

Solto um suspiro. Uau! Estou corada, com certeza, e sei que escorreguei no assento. Ainda bem que o motorista não notou. As distantes e deliciosas lembranças me fazem sorrir. Há anos não me sentia assim. Provavelmente desde a última vez que estive a sós com Jeremy. Dias de divertimento, noites de despreocupação, sem responsabilidades – embora, na época, achássemos que tínhamos muitas – sem filhos, sem casa, sem hipoteca... Honestamente, eu gostaria que a minha vida fosse diferente do que é? Na verdade não. Um pouco mais de divertimento e despreocupação não cairiam mal, mas estou razoavelmente feliz com a vida que tenho. Menos com a vida sexual, devo admitir, que tem estado abaixo da média desde que Jordan nasceu. Ou, para usar de total franqueza, praticamente não existe. Essa constatação me causa um choque. Como deixei isso acontecer? Estive tão ocupada, que não senti falta de um elemento de tal importância? Não é preocupante eu não ter reparado? Faz sentido estar no banco de trás de um táxi, cheia de desejo latente. Surge em minha mente a imagem da Bela Adormecida à espera do despertar sexual depois de décadas de sono – uma visão encantadora, até eu descobrir que o rosto é o meu, e o príncipe é Jeremy.

Mas há as crianças... O risco vale a pena? Resolvo fechar a mente para esse tipo de pensamento improdutivo.

A palestra foi boa. O *feedback* e as perguntas me renderam material para novas pesquisas investigativas e acadêmicas. Penso no fim de semana. Vou ter um encontro regado a vinho com colegas dos tempos de estudante – conversar sobre carreira, vida social e família; quem está com quem, quem se mudou... Com certeza alguns bebês nasceram, depois que fui trabalhar na Tasmânia. E quero rever meus irmãos e sobrinhos, em um churrasco no domingo. Pena Jordan e Elizabeth não terem vindo. Eles adoram estar com os primos. Quem sabe da próxima vez.

Estive tão envolvida com a viagem ao passado e com os planos para o fim de semana, que me surpreendo ao perceber que já chegamos ao destino. Dou uma checada rápida no batom e nos cabelos, e concluo que vou precisar de um retoque.

Enquanto pago a corrida ao taxista, as borboletas do meu estômago, até então adormecidas, anunciam seu despertar triunfal, e tenho as palmas das mãos úmidas, quando pego a bagagem.

Com certeza as lembranças me desestabilizaram mais do que eu gostaria. "Contenha-se, fique calma, você é uma profissional, casada, mãe de dois... Chega de conversa!"

Atravesso o *lobby* do hotel cinco estrelas, rumo ao toalete feminino. Preciso controlar o estômago. O que há comigo hoje? Sacudo a cabeça, tentando me recompor. O formigamento lá embaixo certamente não ajuda a acalmar meus nervos nem a controlar minha fisiologia. Frustrante, no mínimo. Como é que, há apenas algumas horas, eu me sentia tão confortável falando para centenas de pessoas, e agora tenho as mãos tão trêmulas, que custo a abrir o estojo do batom?

Eu me agarro à bancada e olho para o espelho. Percebo ruguinhas em volta dos olhos. Elas já estavam lá na última vez que estive com Jeremy? Talvez eu devesse ter seguido o conselho da minha amiga, e feito uma aplicação de Botox – segundo as palavras dela "antes que seja tarde demais!" A ideia me faz estremecer. Não suporto seja o que for perto dos olhos, e nem consigo imaginar uma injeção espetando área tão sensível. "Bem", eu penso, "o jeito é aguentar o que vejo no espelho, até inventarem alguma coisa um pouco menos invasiva."

Confusa e nervosa, custo a decidir se solto o cabelo ou deixo preso. Ainda bem que não vejo nenhum fio branco, embora saiba que isso não demora a acontecer. Acabo optando por um ar mais profissional, e deixo o cabelo preso. Afinal, estou de *tailleur*. Eu me considero pronta. Pelo menos, tão pronta quanto possível. Nada mal aos 36. Com uma olhada final no espelho, penso que com certeza poderia ser pior e busco desesperadamente um ângulo favorável. No fundo, estou mesmo é ansiosa pelo encontro com Jeremy. Então, me entrego à emoção, enquanto percorro mais uma vez o caminho das lembranças...

Jeremy e eu cursamos juntos a universidade, embora ele estivesse dois anos à minha frente. Meu primo, colega dele na equipe de polo aquático, nos apresentou quando eu estava no primeiro ano. Não sei bem como a nossa relação evoluiu. Só sei que Jeremy era muito divertido, e cada vez passávamos mais tempo juntos, até nos tornarmos "melhores amigos", quase sem sentir. Tal como muitos estudantes universitários, exploramos bebida, drogas e sexo. Os parceiros iam e vinham, mas nossa amizade sempre esteve acima de tudo. As pessoas não entendiam bem o nosso relacionamento. Nem nós. Depois de algum tempo, todos desistiram – e nós também – de nos rotular, e concluíram que seríamos amigos para sempre, houvesse o que houvesse. Engraçado... Acabamos chegando à mesma conclusão.

Depois da formatura, a vida nos levou em direções diferentes. Jeremy continuou a estudar, até receber o brevê de piloto, e ingressou em um serviço que levava atendimento médico ao interior da Austrália. Ele era apaixonado pelo que fazia, e eu sentia certa inveja, pelo menos do brevê de piloto. Enquanto isso, eu trabalhava em Londres, determinada a construir bases financeiras sólidas antes de enveredar pela Psicologia do trabalho.

Nos dez anos seguintes, nós nos encontramos em vários lugares pelo mundo, em especial na Europa, já que as pesquisas médicas de Jeremy o levavam regularmente a Londres. Foram encontros rápidos e divertidos – hoje caras lembranças – antes de assumirmos as sérias responsabilidades da vida. Sabíamos da importância da nossa amizade, mas também que nunca teríamos um relacionamento estável. Ou pelo menos eu sabia que Jeremy, ao contrário de mim, não estava nem um pouco pronto para se estabelecer. Embora nunca disséssemos isso claramente, tínhamos consciência dessa realidade.

Para Jeremy a carreira era primordial; eu estava mais interessada em formar uma família. Esses mundos diferentes nos separaram. Jeremy recebeu a oferta de uma polpuda bolsa para empreender estudos e pesquisas em Harvard, e mudou-se para os Estados Unidos. Em Londres, conheci o inglês Robert. Nós nos casamos e viajamos juntos para a Austrália. Eu sabia que precisava deixar para trás meu passado sexual explícito com Jeremy, formar uma família e progredir na carreira acadêmica. Foi exatamente o que fiz.

Durante cerca de dez anos, nos encontramos apenas para jantares ocasionais. Morávamos em lados opostos do planeta, e nossa vida continuava separada...

Eu me forço a voltar ao presente e digo com firmeza para mim mesma que estou perdendo um tempo precioso. "Mexa-se!" Respiro fundo para acalmar os nervos, endireito os ombros, levanto a cabeça, abro a porta de uma vez e caminho confiante em direção ao homem que é meu melhor amigo e meu ex-amante.

Acabo de percorrer o *lobby* com o olhar, e minha confiança desaparece tão rapidamente quanto havia surgido. Ele não está. O desapontamento me invade com tal força, que me apoio no sofá, para manter a pose. "Era de se esperar", penso. "Comecei o dia com borboletas no estômago e pensamentos ridículos, como uma adolescente que vai ver pela primeira vez o ídolo máximo da música *pop*, e acabei falando sozinha no toalete do hotel."

Sei como a vida de Jeremy é agitada, e sei que sua agenda muda com frequência. Claro que seria altamente improvável ele vir ao meu encontro só porque aconteceu de estarmos os dois em Sydney este fim de semana. Gastei tanta energia nervosa para nada. Uma parte de mim, porém, ficou satisfeita em saber que ainda sou capaz de viver sensações que julgava perdidas para sempre. Bem feito para mim. Deveria ter ficado para os drinques com Samuel e os colegas. Só recusei porque não queria me atrasar para o encontro com Jeremy.

O assessor tinha dito que Jeremy estaria em reunião quase toda a tarde. Exatamente quando eu ia verificar se havia mensagens no telefone, um homem vestido com o uniforme do hotel se aproximou.

– Com licença. Dra. Alexandra Blake?

– Pois não.

– Um senhor me pediu para lhe entregar esta mensagem e transmitir-lhe as mais sinceras desculpas por não poder vir encontrá-la aqui.

Meus medos se confirmaram: ele não vem. O coração quase para, tal é o desapontamento.

O homem me entrega um envelope.

– Obrigado, dra. Blake. Se eu puder ajudar em alguma coisa, não faça cerimônia.

Sorrio, tanto para mim quanto para ele. Jeremy sempre insistia em me chamar de doutora, depois que completei o doutorado, embora eu o considere o verdadeiro doutor – o médico. Ele sabe que me atrapalho em emergências médicas e tenho um medo instintivo de hospitais. Aquela, portanto, era uma brincadeira particular.

Eu me acomodo no sofá de veludo para abrir o envelope. O bilhete impresso diz:

Para minha mais querida amiga, dra. A. Blake.

Minhas sinceras desculpas por deixá-la plantada no lobby do hotel nesta noite de sexta-feira. Compromissos inadiáveis de última hora fizeram com que me atrasasse. Tudo parece estar em ordem agora, e eu apreciaria demais a sua companhia para um drinque. Faz tanto tempo!

Por favor, pegue no envelope a chave reserva da cobertura.

Espero ansiosamente a sua chegada.

Com amor,

J.

Meu estômago salta e se retorce como um ginasta em busca da medalha de ouro olímpica. De imediato, volto a ser uma tiete adolescente. Ele está lá! Mas... na cobertura? O Jeremy que eu conheço sempre evitou a ostentação, preferindo manter uma imagem pública mais austera. Embora, se bem me lembro, quando cercado de gente conhecida, se revelasse um eventual apreciador das coisas boas da vida. Talvez Samuel estivesse enganado, quando mencionou o financiamento da indústria farmacêutica. Será que o velho Jeremy sobrevive no Jeremy de hoje?

***

Quando afinal me recomponho física e mentalmente, reparo que o funcionário do hotel permanece imóvel no canto, como que pairando no ar. "Ele não tem nada a fazer?"

– Tudo bem, dra. Blake? Precisa de alguma coisa?

Eu me volto para responder, temendo que minha expressão denuncie o que sinto. Reparo que ele tem os olhos brilhantes e um sorrisinho no canto da boca. Sem jeito, faço que não.

– Não, obrigada, está tudo bem.

Está mesmo? Ele continua parado atrás de mim. Mudo de ideia.

– Na verdade, preciso, sim. Pode, por favor, me mostrar onde fica o elevador da cobertura?

– Pois não, dra. Blake, com prazer. Por aqui. Posso levar a sua mala?

Ele fala de um jeito... Será que sabe alguma coisa que eu não sei? Sinto uma sensação estranha. Talvez não esteja acostumada ao serviço dos hotéis cinco estrelas. Este não é exatamente o meu estado normal. Pode ser tudo imaginação.

– Obrigada. Muita gentileza sua.

Agradeço, e sigo o homem e a mala.

Em segundos o elevador sobe veloz, rumo à imponente cobertura. Respiro fundo algumas vezes, para ver se acalmo os nervos. Que ideia maravilhosa, bebericar um drinque admirando a cidade ao pôr do sol

– uma visão espetacular, com um tempo como o de hoje. Não sei se Jeremy está hospedado no hotel, mas, se ele tiver acesso ao salão de convenções, podemos comer e beber alguma coisa. Interessante como a possibilidade de uma bebida de graça ainda me anima. Deve ser lembrança dos dias de estudante... Com esse pensamento, deixo escapar uma risadinha. O homem deve pensar que sou maluca.

Quando a porta se abre, percebo como estou excitada com a proximidade do encontro com Jeremy. Ele é um homem maravilhoso e um amigo incrível. A enorme decepção que senti, ao pensar que não o veria, ficou para trás. Agora estou muito feliz e ansiosa pelos momentos de intimidade e franqueza que só os melhores amigos sabem viver.

Assim que piso no chão acarpetado, sou tomada pela visão magnífica proporcionada pelo janelão que ocupa a parede inteira. Tinha esquecido como o porto de Sydney é encantador, visto do alto. Por um momento, saboreio o banquete visual que se estende diante dos meus olhos. O azul faiscante do mar está salpicado de pontinhos brancos. A movimentação de balsas e lanchas provoca ondulações nas águas tranquilas, e o sol poente se reflete nos prédios, lançando uma luz rosada sobre eles. Olho em volta, para me orientar. Estranho, não há nenhum bar à vista.

– Venha, doutora, por favor.

É o funcionário do hotel, ao meu lado, quem chama. Já nem me lembrava dele. Verifico o cartão de segurança e confirmo: o símbolo é o mesmo que vejo na parede. Vou seguindo as setas, enquanto caminhamos em silêncio. Finalmente me encontro, hesitante, em frente a uma grande porta dupla. Antes que um de nós dois tenha tempo de pressionar a campainha, a porta se abre. E diante de mim está Jeremy. Mais sofisticadamente bonito do que eu ousaria me permitir lembrar.

– Olá, AB, aí está você. Seja bem-vinda.

– Oi – eu respondo baixinho, quase com timidez. – Há quanto tempo.

– Vejo que Roger encontrou você no *lobby*. Obrigado por tomar conta dela para mim. Agora eu assumo. Valeu.

Ele pega minha mala das mãos de Roger e me faz entrar, fechando a porta.

– Tem razão. Muito tempo. Tempo demais, na minha opinião.

Cheio de entusiasmo, ele me abraça com tanta força, que quase me levanta do chão. Seus olhos brilham.

– Me deixe olhar para você.

Jeremy se afasta um pouco e me examina atentamente o rosto, os cabelos, o corpo, as pernas – da cabeça aos pés. Eu havia esquecido como o olhar dele pode ser penetrante, como consegue captar detalhes. Procuro disfarçar o constrangimento.

– Você está maravilhosa, Alex. Continua a minha Catherine Zeta-Jones de olhos verdes.

O modo como Jeremy fala me deixa ainda mais sem graça. Depois de outro abraço, desta vez mais delicado, ele me dá um beijo na testa. É seu carimbo de aprovação.

– E você não está nada mal, dr. Quinn, tendo em vista a proximidade dos 40! – eu respondo, atrevida.

Imediatamente, porém, procuro refrear o entusiasmo, por causa do jeito possessivo dele e das intensas emoções que me percorrem o corpo.

Nesse momento, minhas impressões não são inteiramente confiáveis, mas me parece que ele pouco mudou com os anos, a não ser por esparsos fios brancos nos cabelos escuros. Continua seguro, elegante, brincalhão... Muito bem. Para ser honesta, ótimo. Forte, ombros largos, quase 1,90 metro, barba benfeita. Cheiro bom. Faz muitos anos da última vez que senti bem de perto esse perfume campestre, mas uma nuvem de desejo desperta e penetra bem fundo no meu corpo. A bunda redonda parece sensacional sob a calça esportiva. "Céus, mal cheguei e já estou tão excitada! Pare! Olhe para outro lugar!"

Eu me obrigo a reparar no ambiente.

– Uau, que lugar lindo! Está hospedado aqui?

– É, estou. Por uma semana.

– Melhorou de vida, hein, meu amigo?

Jeremy dá de ombros e sorri sem jeito. Adoro esse sorriso. Adoro essa boca. Adoro essa boca nos meus seios. Céus! "Pare com isso agora!"

– Vamos entrar. Relaxe, fique à vontade.

Ele me leva para a sala de estar, obviamente percebendo que não estou nem um pouco ralaxada. Melhor eu me acalmar.

– Pensei que fôssemos nos encontrar no bar da cobertura, para um drinque. Não imaginava que fosse a sua suíte.

Procuro controlar a ansiedade, cada vez mais intensa, e manter a voz calma, em tom coloquial.

– Isso incomoda você? – ele pergunta diretamente.

– Oh, não – eu me apresso a responder. – De modo algum.

"Deveria?"

– Que bom.

O estouro de uma rolha me surpreende um pouco, e logo Jeremy me serve champanhe. A temperatura está perfeita. As bolhas na taça de cristal representam perfeitamente a situação do meu estômago pela maior parte do dia.

– Saúde, dra. Blake. Senti a sua falta, minha amiga, minha confidente.

A certeza da emoção contida naquelas palavras faz meu coração falhar.

– Saúde para você também, dr. Quinn.

Tocamos as taças, e nosso olhares se encontram pela primeira vez em muito tempo.

– Como vai, Jeremy? Como vai a sua vida? Está com alguém? Gostou dos Estados Unidos? E quanto ao trabalho... Parece tão ocupado!

Não consigo parar de tagarelar. Ele ri e ergue a mão, para interromper o interrogatório.

– O seu estoque de perguntas não acaba, não é Alexa?

Ele ergue uma sobrancelha e continua:

– Acho que certas coisas nunca mudam.

O comentário é provocador, e vem cheio de insinuações.

Jeremy me olha diretamente, embora meio brincalhão. Eu me remexo, desconfortável, sob a intensidade do olhar dele e sob o peso das segundas intenções que suponho perceber em suas palavras. Gostaria de ler mais claramente suas expressões faciais, mas parece que perdi a prática, depois de tanto tempo de afastamento.

– É que há muito o que conversar. Não quero perder nada. Nem desperdiçar o pouco tempo que temos – tento me justificar.

– Não vamos desperdiçar, prometo. Agora beba.

Só então reparo que ainda não toquei no champanhe. Bebemos ao mesmo tempo. O gosto é delicioso, seco de início, mas deixa um doce na boca. Isso sem falar nas borbulhas na língua. Outro gole é inevitável.

– Antes que eu tente responder às suas numerosas perguntas, me diga: Quais são os seus planos para o fim de semana? Quem vai ter o prazer da sua companhia?

Satisfeita em retomar a conversa, recito os detalhes do meu fim de semana, em especial porque ele conhece a maioria das pessoas com quem vou estar. Falo de Robert, das crianças e da grande aventura que estão vivendo, do encontro com Samuel na universidade, da família e dos colegas de estudo. Ele escuta sem interromper, e mal reparo que torna a encher a minha taça. Não sei se são os nervos ou se é a excitação. Só sei que a conversa e o champanhe fluem sem parar.

– Chega de falar de mim.

Percebo que Jeremy está calado há um bom tempo, e temos muito o que falar, além dos meus planos para o fim de semana. Observando mais atentamente, vejo que ele tem uma expressão tensa.

– Está muito quieto, Jeremy. Alguma coisa errada?

Ele se levanta e, com passos firmes, vem na minha direção. Em silêncio, abaixa-se, me olha diretamente e pousa a mão sobre meus joelhos cobertos pelas meias. A sensação de um leve choque elétrico me sobe pela perna e me faz estremecer. Ele percebe minha reação e sorri brevemente, como que satisfeito de ver o impacto que ainda causa, mas logo se recompõe e reassume o controle. Eu imediatamente me sinto corar. Devo estar tão rosada quanto a almofada onde me apoio. Seria impossível Jeremy não notar que seu toque praticamente me desmonta. Sem graça, eu me remexo no sofá. Ele permanece imóvel. A ansiedade me deixa muda, afinal.

— Alexandra, quero lhe perguntar uma coisa, e sinceramente não sei como você vai reagir ou o que vai dizer.

Meu nome inteiro. Então, deve ser coisa séria. Sem desviar o olhar, ele continua:

— Isso não costuma me acontecer...

Jeremy segura firmemente meus joelhos com as duas mãos. Parece querer me prender, com medo de que eu suba como um balão.

— Vou direto ao ponto.

Agora quem está imóvel sou eu. Apenas sustento o olhar dele e tento controlar a respiração, à espera do que virá em seguida.

— Gostaria que você cancelasse todos os compromissos e passasse o fim de semana comigo.

Ele me olha por baixo dos cílios longos e cheios. Meu coração falha uma vez. Ou duas. Ou talvez três. Eu me perco em seus olhos.

Sou tomada pelas lembranças de nossos momentos juntos: a época de estudantes, brincadeiras bobas, tesão e amor, orgasmo e sexo, amizade, lágrimas de felicidade, lágrimas de sofrimento, experiências, momentos furtivos. Era engraçado, intenso, divertido, excitante. Com Jeremy, não poderia ser de outro jeito.

Em poucos e longos segundos, seu olhar transmite isso tudo e muito mais. Com ele, eu nunca sabia o que aconteceria em seguida. E aqui estou na mesma situação, depois de tantos anos. Mudaram apenas as circunstâncias. O diálogo silencioso nos desafia a assumir um risco que seria impossível, caso os personagens fossem outros.

Minha mente trabalha mais depressa do que o coração. E se eu ficasse? Seria a pior coisa a fazer? As pessoas sempre falam em viver plenamente, em abrir-se para o inesperado... Um fim de semana com Jeremy faria com que me sentisse viva, como há anos não me sentia? Pelo efeito do toque no joelho, posso imaginar a sensação, se ele tocar outras partes do meu corpo...

O instinto materno finalmente sufoca esses pensamentos complicados e fugazes, e o bom senso prevalece. As crianças. Minha vida não é mais só minha. Meus atos têm consequências. Culpa... Traição...

Robert... Meu estômago está embrulhado. Como posso sentir ansiedade e remorso ao mesmo tempo? Para mim, não faz sentido. Minha mente racional muda de marcha rapidamente e passa a analisar a intensidade das emoções, bem como as mudanças na fisiologia delas resultantes. A situação torna redundante minha experiência clínica. O que estou fazendo – pensando ou sentindo? Jeremy mantém as mãos nos meus joelhos e os olhos na minha alma. Somente depois de algum tempo, como se lesse meus pensamentos, ele desvia o olhar e levanta-se para apreciar a vista.

Eu respiro fundo. Parece que fiquei livre de um encantamento que me deixava a respiração em suspenso. Sem se voltar, Jeremy fala, meio distante:

– Me deixe adivinhar. Você está analisando todos os ângulos da situação.

Em seguida, olha rapidamente para mim e retorna à paisagem. Então, faz que sim, como se tivesse acabado de confirmar que está no caminho certo.

– Você está pesando os prós e os contras de aceitar a minha sugestão. Por um lado sente-se excitada, quase seduzida pelas possibilidades da experiência; por outro lado, sente-se presa às responsabilidades da sua vida atual, levantando questões que não acabam mais e imaginando o que pode acontecer. Isso significa que precisa de tempo para pensar. Na verdade, Alex, seria preciso a experiência adquirida em muitas vidas, para responder às suas perguntas. E talvez nem assim você chegasse a uma conclusão satisfatória. Estou certo?

Mais uma vez ele me olha, em busca de confirmação.

Consigo apenas mexer a cabeça, fazendo que sim. Para ele sou um livro aberto. Honestamente, nem eu me leio com tanta facilidade. Isso me perturba. Em poucas e precisas palavras ele definiu a situação. Por acaso sou óbvia demais ou é Jeremy que me conhece muito bem? Pensei que ele tivesse esquecido... Mas, se eu não esqueci, por que ele esqueceria? Essa é uma consideração assustadora, dada a presente situação. Jeremy continua a despejar minhas supostas preocupações.

– E quanto à família? Você quer ficar? Se ficar, o que vai acontecer? O que os seus amigos vão pensar? Como justificar a sua decisão? E depois? E ouso perguntar: o que aconteceria, se você se soltasse, ainda que só por um fim de semana?

Continuo sentada diante dele, incomodada pela verdade que há em suas suposições, pelo profundo conhecimento que ele tem do meu processo de raciocínio. Mas também sei que ele não está jogando limpo, que está forçando deliberadamente meus limites.

A última pergunta representa a soma de muitas conversas que tivemos durante nosso relacionamento. Jeremy sabe que penso nos outros antes de pensar em mim, e sempre me censurou por isso, em especial quando eu fazia opções que podiam dar mau resultado. Ele sempre me fazia pensar "e se..." E se, pelo menos uma vez, eu tentasse não controlar a mim e aos outros, não agir com cautela? E se fosse melhor não saber o que vai acontecer ou como alguém vai se sentir a respeito? Não valeria a pena correr o risco?

Minhas preocupações imediatas são, infelizmente, fáceis de resumir, devido ao dilema moral que enfrento. Na verdade, porém, a verdadeira questão é muito simples para mim: consigo dizer não a Jeremy?

Ele mexe comigo. Eu sei disso, e ele também sabe, com certeza. Por mais que eu tente disfarçar emoções, Jeremy lê intuitivamente as minhas expressões, enxerga através de todas as minhas máscaras. O que me deixa mais ansiosa é aquele sorrisinho malicioso...

A voz sai baixa, mas firme.

– Não é justo, Jeremy. Essa conversa tinha de ser exatamente agora? Não podemos deixar as coisas acontecerem?

Nas últimas palavras, a voz falha. Ele sabe que estou tentando me proteger. Diante dele, não adianta disfarçar. Inconscientemente me preparo para nossa batalha mental, mas sei que *o meu* cérebro está em um ringue de boxe: o lado direito e o lado esquerdo lutam bravamente entre si, sem saber que pertencem ao mesmo time.

Jeremy deixa o janelão e aproxima-se do balde de gelo. Então, pega com cuidado a garrafa e caminha lenta, mas decididamente, na minha direção. Embora não fale, ele percebe que tenho as mãos trêmulas, e depois de tornar a encher a taça, deixa-a sobre a mesinha ao lado do sofá. Em seguida, de joelhos, toma as minhas mãos nas dele e suspira. A ascendência que tem sobre mim faz um nítido contraste com sua postura de aparente submissão. O ar entre nós é tão carregado de tensão, que mal consigo respirar. Sinto-me como um animal que atravessa a estrada e fica perdido entre os faróis dos carros.

– Escute, Alex. Escute com atenção.

Jeremy fala devagar, de modo incisivo.

– Nós temos uma longa história, e eu quero passar com você as próximas 48 horas. É muito diferente de tomarmos uns drinques, e você sumir no mundo outra vez. Eu sei da tensão entre nós, mas estamos coagidos pelo tempo. Se soubermos que temos dois dias inteiros pela frente, vamos nos conhecer de verdade novamente. Vamos pensar em nós, em ninguém mais. Só esta vez. É importante para mim, Alex. Eu não pediria, se não fosse. Não quero discutir, não quero pressionar. Só preciso saber que vamos ter esse tempo juntos, um tempo que não temos há muitos anos.

A confusão me faz zumbirem os ouvidos, disparar o coração. A corrente elétrica que parte da mão de Jeremy entra pela minha mão e vai direto ao ponto entre as minhas pernas, com tal força, que chego a ter a impressão de que ele pode sentir.

Com olhar suplicante, ele me pega pelos pulsos.

– Por favor, Alex, estou pedindo... Só 48 horas. Diga que fica...

Minha mente entra em pane. Se respirar é difícil, falar é praticamente impossível. Nunca vi Jeremy tão carente, tão suplicante. Quem sabe está passando por um problema grave ou um sofrimento intenso, e precisa falar com alguém? Meu coração diz *É isso, ele é meu melhor amigo e precisa de mim*. Claro, eu deveria ter percebido. Por que ele se mostraria tão ansioso? Provavelmente tem poucos amigos íntimos, em especial por causa das pressões e responsabilidades de seu trabalho. Ele *obviamente* não me deixaria nessa situação, se não fosse preciso. E aqui estou eu, pensando em negar ajuda ao meu amigo, o meu melhor amigo, exatamente quando ele mais necessita.

Perdi a batalha. Venceu a lógica do coração. A voz custa a sair da garganta apertada. Quase não dá para ouvir.

– Bem... pode ser...

Mas Jeremy está bem pertinho, e pergunta, ansioso:

– Você disse o que eu acho que disse?

Ele quer que eu fale de novo? A primeira vez já foi suficientemente difícil.

– Preciso ter a certeza de que está decidida. Você não faz ideia de como é importante para mim.

Respiro fundo.

– Está bem, eu fico para o fim de semana – confirmo em voz um pouco mais audível.

Um sorriso instantâneo ilumina o rosto de Jeremy. Ele solta meus pulsos, me arrebata do sofá, me abraça forte, e saímos rodopiando pela sala. Liberada a tensão, só consigo rir.

– Obrigado, Alexandra. Você não vai se arrepender. Prometo.

Ele pega as taças de champanhe que esperam sobre a mesinha.

– Vamos brindar. Às próximas 48 horas.

Tenho vontade de acrescentar "querido", mas respondo ao brinde, apenas, deixando que as bolhas da bebida se juntem às borboletas do estômago.

Antes que eu tome pé da realidade, ele continua, rápido como um raio:

– AB, onde está o seu telefone?

Claro, preciso avisar as pessoas sobre a súbita mudança de planos. De repente me conscientizo das consequências imediatas da minha decisão, para a família e os amigos.

– O que vou dizer? O que vão achar que aconteceu?

Estou pensando alto enquanto remexo em minha bolsa entulhada, até encontrar o telefone. Sou tomada pelas dúvidas. Estou fazendo a coisa certa? O que me levou a concordar – um momento de fraqueza ou de desejo? Os dois, sem dúvida!

– Mas, Jeremy, talvez eu não deva... Não é direito...

– Nem mas nem meio mas, AB!

Percebendo minha hesitação, Jeremy se joga no sofá, ao meu lado, toma o telefone da minha mão e atravessa a sala a passos largos. O cachorrinho dengoso está virando pantera com graça e facilidade assustadoras.

– Deixe que eu cuido disso para você – ele diz, com um sorriso largo.

Jeremy regrediu por completo. Onde está o pesquisador de renome, reconhecido mundialmente, tantas vezes premiado? Sinto-me de volta à universidade, na companhia de um colega implicante e mandão.

– Devolva-me o telefone.

– Nem pensar, querida. Você mesma disse que seria minha durante o fim de semana. Não se preocupe. Vou enviar uma mensagem em seu nome para todo mundo.

Não sei se Jeremy fala a sério ou não. Caminho em direção a ele e estendo a mão.

– Devolva-me isso agora. Sou perfeitamente capaz de mandar uma mensagem pelo meu próprio telefone.

Sem se importar com meu tom áspero, ele se desvia e foge, me fazendo de boba.

– Eu preciso ligar para casa. JEREMY!

Como um garoto brincalhão, ele continua a série de dribles.

– Não precisa ligar para casa coisa nenhuma. Você me disse que eles vão passar a semana fora, em um lugar onde o celular não pega. Não há motivo algum para telefonar ou se preocupar.

Ah, isso explica o profundo interesse dele pelos meus planos! Eu deveria ter suspeitado de suas segundas intenções.

– Jeremy, deixe de brincadeira!

Quando ele corre para o banheiro e tranca a porta, o pânico começa a transparecer na minha voz.

– Isso *não* tem graça. Me devolva a droga do telefone, seu louco!

Eu soco a porta furiosamente, sabendo que Jeremy está encostado a ela para garantir que eu não abra.

– Ah, essa é a Alex nervosinha que eu conheço. Era a faísca que eu estava esperando... Vamos lá: a quem precisamos informar sobre a sua estranha mudança de programa? Seu irmão. E Trish. Ela pode avisar os outros. Ah, e Sally. Acho que chega, não?

– Jeremy, não se atreva!

Estou realmente perturbada.

Com cuidado para que eu não entre, ele abre a porta, lê a mensagem em voz alta e, antes que eu responda, aperta "Enviar".

– Você não fez isso... – falo ofegante.

– Agora, você é oficialmente minha pelas próximas 48 horas.

Jeremy parece o gato que engoliu o canário. Desliga o telefone, vai até o armário, abre a porta, digita um código para liberar o cofre – não sem antes bloquear minha visão – guarda o aparelho e fecha a porta.

Estou em estado de choque.

– Que diabos você pensa que está fazendo? – acabo por explodir. – Preciso do telefone comigo. Pode acontecer alguma coisa!

Tenho a impressão de que ele me desconectou temporariamente da vida, e percebo que é isso que quer. Muito estranho. Sinto-me absolutamente incomunicável.

– Explique-me, AB. Está dizendo que o mundo não vai sobreviver, se o seu telefone passar dois dias desligado? Ou quem não vai sobreviver é você?

O tom de voz e o olhar dele me dizem claramente que não há negociação.

– Por que isso?

– Simples. Estou sendo egoísta. Sei que está sempre disponível para a família e os amigos, e não pretendo dividir você com ninguém neste fim de semana. Não quero interrupções.

Olho para ele atônita.

– Quando foi que você se tornou assim mandão e controlador?

– Tive uma ótima professora na universidade e passei os últimos anos praticando – ele responde, com uma piscadela.

Quando tento me aproximar do armário, ele me agarra como um polvo, me levanta no ar e me deposita com firmeza sobre o sofá.

– Não concordo – ele corrige, com um sorriso.

– Não estamos mais na universidade, Jeremy. Por favor, sou adulta!

Pareço uma professorinha. Ele se mantém atento aos meus menores movimentos.

– Muito bem – digo afinal, cruzando os braços, em uma clara atitude de descontentamento. – Então você também desliga o seu.

Ele ri.

– A última palavra sempre tem de ser sua, não é, Alexandra?

Jeremy desliga o telefone e, com movimentos exagerados, abre o cofre, guarda o aparelho ao lado do meu e fecha a porta rapidamente.

– Pronto.

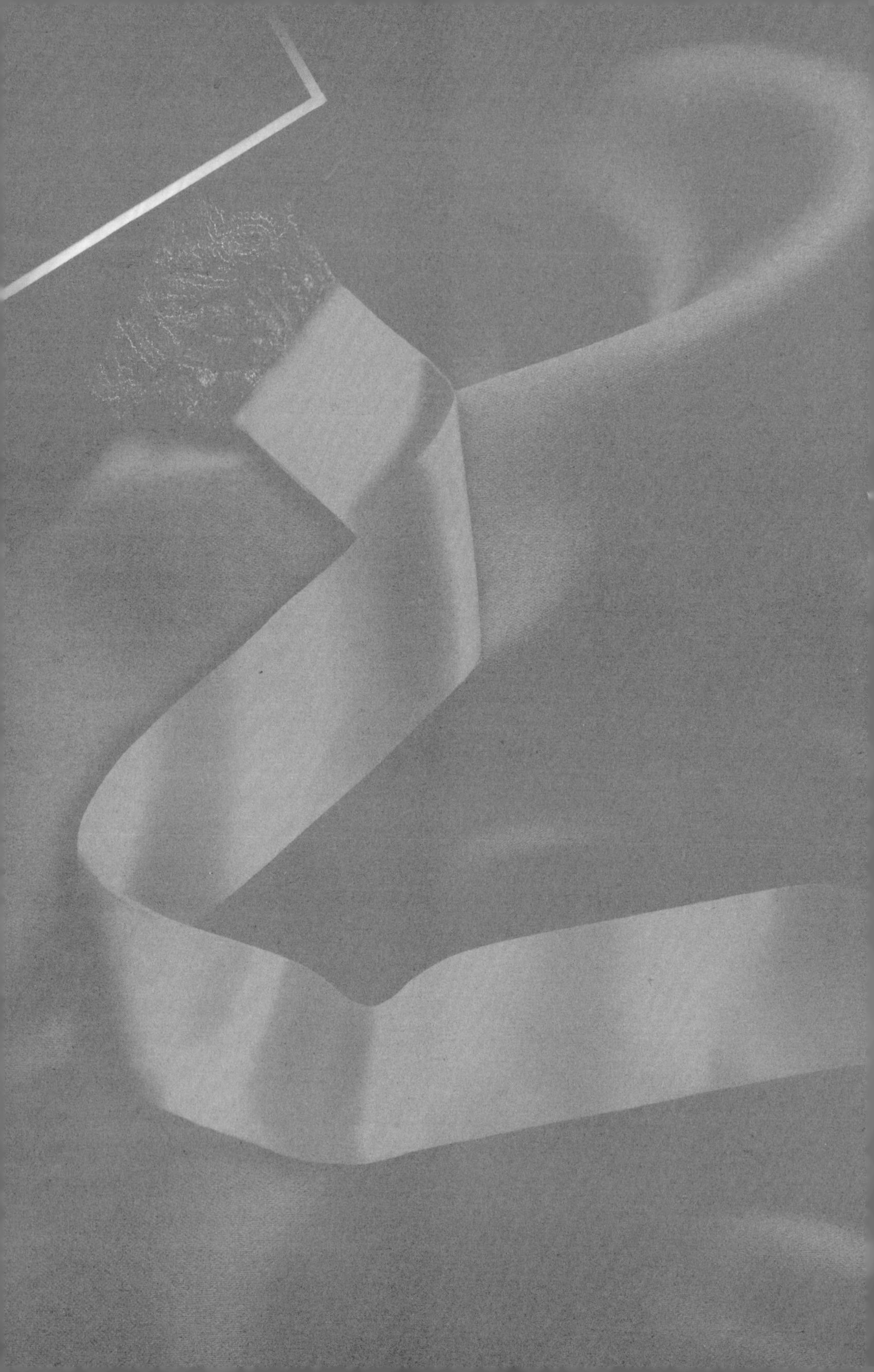

Parte 2

"Não aja com timidez ou cuidado excessivos. Viver é experimentar. Quanto mais você experimentar, melhor."

– Ralph Waldo Emerson

— Excitante, não é? Quando foi a última vez que tivemos uma oportunidade como esta, de trocar ideias, brincar, perguntar e conversar até de madrugada? Vai ser muito divertido. Tenho tudo planejado.

Tento manter uma aparência de indiferença, mas a energia de Jeremy, ao meu lado no sofá, é quase contagiosa.

— Não sei se me sinto melhor ou pior, ao saber disso.

Faço o comentário em tom de brincadeira, mas há muita verdade por trás das palavras. Ele repara que minhas mãos tremem e, por precaução, pega a taça que estou segurando.

— Honestamente, Alex, vai ficar tudo bem. Reconheço que se trata de uma decisão importante, mas você sabe que eu nunca lhe faria mal. E no fundo, no fundo, faz muito tempo que nós dois queríamos isso. Só não tivemos oportunidade. Vamos aproveitar o momento presente, como diz Eckhart Tolle.

Ele se cala, mas o sorriso mantém seus lábios entreabertos.

— A propósito: obrigado pelos livros. São muito verdadeiros.

Duvido da opinião, mas não consigo conter um meio sorriso.

Realmente, em um dos Natais anteriores, mandei para ele *O poder do agora* e *O despertar de uma nova consciência*. Eu me lembro de termos conversado pelo telefone, quando elogiei os livros e suas mensagens inspiradoras. Por ironia do destino, essas mensagens são invocadas para me convencer. Aqui estou eu, vivendo "o agora" pelas próximas 48 horas.

— *Okay*, você venceu. Vamos tomar mais um drinque, para eu me conscientizar da minha decisão.

— Seu desejo é uma ordem.

– Humm, não tenho tanta certeza – digo, aceitando a bebida.

O champanhe desce muito facilmente.

– Venha conhecer o ambiente. Vai ficar mais à vontade.

Aceito que Jeremy me dê a mão, para deixar o sofá.

O espaço é enorme. Parece reformado há pouco, no estilo dos anos 1980; não exatamente o meu gosto, mas adequado ao que se propõe. A suíte máster é uma verdadeira obra-prima decorada em estilo urbano ultramoderno. A cama *king size* tem armação de aço. A cabeceira, bastante masculina, apresenta detalhes trabalhados que conferem um toque delicadamente feminino – quase uma renda metálica. Não sei se a existência de uma segunda suíte com decoração semelhante me deixa tranquila ou decepcionada. Vou pensar nisso mais tarde. A área total da cobertura corresponde à de uma casa de tamanho médio. Depois de percorrer todo o espaço, nós finalmente relaxamos em conversas sobre os velhos tempos e demos boas risadas. Como esperava exatamente por isso, deixo de lado, afinal, as dúvidas acerca das implicações da minha decisão de ficar.

Jeremy me fala com entusiasmo sobre sua pesquisa e o trabalho que vem fazendo com certas personalidades globais. Ele diz que teve a oportunidade de conhecer pessoas maravilhosas, mas também gente em busca de glória, fama ou dinheiro, e às vezes dos três. A ideia parece perturbá-lo um pouco.

– Mas essa é a vida que escolhi, e não vou deixar que nada atrapalhe o que quero alcançar. É importante demais.

A determinação na voz de Jeremy é impressionante. Sinto que há alguma coisa por trás dessas palavras, mas a tensão em seu rosto me rouba a coragem de perguntar, e ele logo muda de assunto.

Jeremy quer saber o que tenho feito em matéria de trabalho e estudo. Parece excepcionalmente interessado nas minhas palestras. Não quero aborrecê-lo com detalhes, mas ele insiste; diz-se fascinado pela influência que os sentidos exercem sobre as percepções. Pretende até investigar como eles afetam as experiências, e acrescenta opiniões sob o ponto de vista da Medicina, que considero importantíssimas. Eu havia esquecido como é agradável conversar com Jeremy, como ele jamais assume uma postura superior, apesar de seu enorme conhecimento, deixando o outro à vontade para falar. Existem poucas pessoas aptas a uma discussão desse tipo, em que é possível questionar e desafiar; a autenticidade requer maturidade intelectual e emocional.

O interesse de Jeremy e a minha paixão pelo assunto sustentam a conversa, até eu perceber que já falei bastante e dar a vez a ele. Novamente noto nele um brilho travesso no olhar e um sorrisinho disfarçado.

– Desculpe. Falei demais. Você deveria ter interrompido.

– De jeito nenhum. Adoro ver você falando do trabalho com tanta paixão. Nem todo mundo se sente assim. Então, quando acontece é especial. Só preciso contar uma coisa.

Jeremy termina a frase com um sorriso tímido.

– O quê?

– Eu estava lá hoje.

– Onde? – pergunto, sem entender.

– Na sua palestra, à tarde.

Fico olhando para ele de boca aberta.

– Você estava no auditório?

Não entendo nada.

– Sim, sim e sim. Eu sei que devia ter avisado, mas queria vê-la no seu mundo. Você foi fabulosa, Alexandra. Realmente envolveu a plateia e provocou discussões inteligentes. Alunos e professores estavam encantados com você e o seu trabalho. E eu também.

A voz dele transpira sensualidade.

Estou sem fala. O grande Jeremy Quinn assistiu à minha palestra. Inacreditável! Instintivamente, esvazio a taça de champanhe. Jeremy inclina a dele, brinda em silêncio e faz o mesmo. De repente, sinto na cabeça o efeito da bebida, o que na verdade é bem agradável. Em seguida, porém, o organismo se manifesta, o que não é tão agradável. Peço licença e vou ao banheiro. Depois de satisfeita a necessidade urgente, olho em volta e concluo que meu quarto, em casa, é bem menor. Revestido de mármore cinza, branco e preto, o banheiro está abastecido de tudo que se poderia esperar do espaço da cobertura de um hotel cinco estrelas: loção corporal, xampu, condicionador, gel, sabonete, touca de banho e até um *kit* de maquiagem – todos os artigos acondicionados em pequenas embalagens em cores pastel, tão bonitas que dá pena de abrir. O brilho da banheira oval parece me chamar. Nesse momento, Jeremy bate à porta, oferecendo-se para me preparar um banho.

– Você virou adivinho, no tempo que passamos separados? Mais alguma coisa que eu não saiba?

Ele ri.

– Sei que você teve um dia cansativo, e, se me lembro bem, o banho é um dos seus prazeres favoritos. Além disso, tenho o maior interesse em que fique bem relaxada. Vou gostar de preparar o seu banho. Como nos velhos tempos.

Estranho como o discurso dele me parece familiar, passados tantos anos.

– Ótima ideia! Tem certeza? Maravilha!

– Alex, só me faça um favor: neste fim de semana, siga o fluxo.

Jeremy entra no banheiro e continua:

– Não resista. Quero aproveitar ao máximo cada minuto ao seu lado. Por que não vai arrumar as suas coisas enquanto preparo o banho?

Completamente atônita, olho para ele outra vez. Isso está acontecendo mesmo ou é sonho? Vou até o *closet* excepcionalmente amplo, onde foi guardada minha mala de rodinhas. Ainda estou admirando a suíte máster, quando a voz de Jeremy me chega sobre o ruído da água corrente.

– Tire tudo da mala. Quero ter certeza de que não vai me abandonar durante o fim de semana.

Enquanto cumpro as instruções, penso se ele sempre foi mandão. Provavelmente, sim. Não por maldade, mas de um jeito que fica difícil contrariar. Surpreendentemente submissa, espalho as roupas e sapatos, tiro a *nécessaire* e deixo as anotações na pasta. Quando me preparo para sair do quarto, vejo o telefone na mesinha de cabeceira. Na esperança de que o ruído da água corrente abafe o som da minha voz, pego o fone.

Não custa deixar uma mensagem rápida, para o caso de Robert e as crianças conseguirem algum tipo de comunicação.

Uma voz feminina atende:

– Boa noite, dr. Quinn. Em que posso ajudar?

– Oh... – eu hesito.

Estou surpresa. Não sou o dr. Quinn e não esperava que houvesse uma operadora. Nesse exato momento, Jeremy vem por trás, passa um braço pela minha cintura e toma o fone da minha mão.

– Desculpe incomodar. Não precisamos de ajuda por enquanto. E, por favor, não complete ligação alguma daqui, a não ser que fale comigo pessoalmente.

Ouço a resposta da operadora:

– Pois não, dr. Quinn. Tenha uma boa noite.

– Obrigado. Pretendo ter.

Ele repõe delicadamente o fone no lugar.

Como uma criança desobediente flagrada comendo um doce sem permissão, sinto o rosto queimar. Nunca fui capaz de esconder de ninguém o embaraço diante de uma situação – muito menos de Jeremy. Não consigo dizer coisa alguma. Até me surpreendo, ao sentir tanta culpa por causa de um simples telefonema.

Ele me envolve pela cintura com seus braços fortes, encosta a face na lateral do meu pescoço e respira fundo, antes de falar em voz baixa:

– Tente outra vez alguma coisa deste tipo, e essa sua bundinha bonita vai ficar da mesma cor do seu rosto agora.

Meu coração bate mais forte, e o sangue corre mais depressa pelo corpo. Para meu espanto e horror, até meus mamilos se ressentem da ameaça e se mostram retesados através da blusa. Como Jeremy consegue isso? Com um beijinho no pescoço, ele me conduz em silêncio para fora do quarto.

Quando voltamos à sala, reparo na música de fundo e em uma bandeja de belos morangos revestidos de chocolate, sobre a mesa redonda. Acho mais prudente não me referir ao último comentário.

– Posso? – pergunto, indicando os morangos.

– Claro! Estão aí para isso.

Por que as palavras são tão sedutoras na boca de Jeremy? Percebo que, desde o almoço, só tomei champanhe.

– Parecem deliciosos.

O gosto é tão bom quanto a aparência, e a cobertura de chocolate está maravilhosa. Fecho os olhos, para saborear melhor. Delicadamente, Jeremy passa um guardanapo no canto da minha boca, para limpar um pouco do suco de morango que escorreu. Um movimento extremamente simples, mas tão sedutor, que sinto as pernas tremerem e um fluido se formar entre as minhas coxas, embora eu me negue a acreditar que isso aconteça. Com um sorriso, ele me oferece outra fruta, como se soubesse muito bem das reações do meu corpo.

Eu me sinto a protagonista de um filme sofisticado. O inusitado da situação me provoca um risinho nervoso. Não é todo dia que isso acontece a quem tem de arrumar a cozinha, lavar a roupa e pegar as crianças na escola.

Desta vez, Jeremy me lança um olhar indagador, como se não conseguisse decifrar meus pensamentos.

– Não se preocupe. Estou só pensando um pouco na vida – digo.

Ainda bem que ele não mencionou o telefonema. Não quero estragar a atmosfera.

– Satisfeita? O banho está pronto.

Quando ele abre a porta do banheiro, o cenário lembra ainda mais um filme de Hollywood. Seria esta a minha versão particular de *Uma Linda Mulher*? É justo interromper tudo por causa de um incômodo sentimento de culpa que me aperta o fundo do coração? Preciso me beliscar, literalmente, ao entrar no banheiro.

– Uau, isto está realmente... completamente... perfeito... incrível!

A surpresa diante do clima de romance me deixa sem palavras.

– Impressionante, Jeremy, absolutamente lindo!

Ao olhar em volta, vejo que o banheiro foi transformado em um "reino das fadas ao pôr do sol". O perfume envolvente, sem ser opressivo, tem aromas de lavanda e jasmim, e talvez toques de frésia; gosto de todos. Como Jeremy consegue lembrar tantos detalhes, decorridos tantos anos? A experiência me deixa deliciosamente tonta.

– Aproveite. Você teve um dia cansativo. Agora é hora de relaxar.

Ele beija minhas mãos com delicadeza e sai do banheiro. Encantada, olho em volta mais uma vez e começo a tirar a roupa devagar: sapatos, meias, saia, blusa. Finalmente, solto o sutiã com cuidado e deixo a calcinha cair no chão. Não quero estragar a cena com movimentos bruscos. Mal posso esperar para mergulhar naquela água quente e perfumada – maravilhosa. Assim que entro na banheira, a tensão vai se desfazendo. Para mim, não há nada mais prazeroso do que um banho depois de um dia cheio. E este dia foi cheio – de grandes surpresas. Ao afundar, me dou conta de que, além do cansaço físico, estive envolvida por um redemoinho emocional por muitas horas. É gratificante dispor de algum tempo sozinha para relaxar e acalmar a mente. Com um longo suspiro, eu me estico no fundo da banheira, rodeada de tranquilidade. Era disso que eu precisava. Sem pensar em nada, fecho os olhos. Puro êxtase...

Não sei se chego a cochilar, mas não percebo movimento algum na água. Só abro os olhos ao sentir que minha perna é erguida, para ser delicadamente massageada. A visão que tenho me surpreende pela extrema audácia.

– Como... Quando foi? – eu gaguejo.

Jeremy fala baixinho, devagar:

– Shhh, relaxe. Você parece tão tranquila... Só quero enriquecer a experiência, e não atrapalhar.

– Mas... Você está *dentro* da banheira!

Estamos tomando banho juntos! Há alguns anos, isso não seria surpresa. A propósito: honestamente, o que eu esperava que acontecesse neste fim de semana? Minhas lembranças são completamente diferentes da realidade. O presente tem muito mais força do que nosso passado compartilhado. Estou confusa.

A surpresa dá lugar a um estado de quase sonho. O perfume me entra pelo nariz e chega ao cérebro. O vapor misterioso envolve nosso corpo. A massagem que Jeremy faz nos pés é maravilhosa. Ele não perdeu a prática; acho até que se aperfeiçoou. Seus dedos mágicos trabalham as solas. Com a cabeça sobre o apoio integrado à banheira, relaxo as costas e deixo escapar um longo suspiro.

– Isso, querida, se solte... Pare de resistir. Eu cuido de tudo.

Embora ele seja um homem de porte avantajado, ainda sobra muito espaço na banheira. Caberiam três ou quatro pessoas, mas não quero pensar nisso. Enquanto seu toque meticuloso dissolve todos os pontos de pressão dos meus pés, nem reparo que vou escorregando em direção a ele. De repente, estou encaixada entre as pernas de Jeremy.

A temperatura perfeita da água, a massagem, as velas, o aroma e o champanhe me sobem à cabeça e me deixam em completo estado de letargia. Se não consigo levantar a voz para tentar um protesto, como iria mudar de posição?

Lenta e carinhosamente, Jeremy me esfrega os braços e o peito com uma esponja macia. Respiramos em uníssono; a água sobe e desce devagar à medida que inspiramos e expiramos. Reteso o corpo quando ele começa a acariciar meu peito e apertar de leve os mamilos, que imediatamente atendem ao comando. Mas ele continua. Minha respiração fica mais curta, e meu pulso, mais rápido. Impossível negar a influência de seu toque. Ouço um suspiro. Fui eu que suspirei! É uma sensação estranha. Será que perdi o controle do meu corpo? Escuto Jeremy dizer:

– Agora está melhor. Nada assustador, não é?

– É assim que você quer que eu me sinta? – respondo quase sem fôlego.

As mãos dele continuam a exploração.

– Assim como?

Se estivesse mais sóbria, eu saberia que aquela pergunta era inevitável. E que ele iria esperar a resposta.

Depois de pensar um pouco, respondo com franqueza:

– Ansiosa, viva, relaxada, incoerente, louca de prazer...

Essas palavras me vêm à mente... E meu corpo parece isentar a mente de todas as responsabilidades.

– Humm... É quase como eu quero. Está gostando?

– Acho que sim, mas talvez tenha de pagar na mesma moeda.

Jeremy roça os lábios na minha nuca enquanto seus dedos passeiam, descem pela barriga e se detêm entre as coxas, provocando uma sensação vaga de desejo, de "quero mais".

Tudo em volta parece nebuloso, enquanto derreto em contato com aquele corpo firme, de pele macia e poucos pelos. Sinto-me entrar em ebulição a cada carícia. Os dedos dele estão muito perto do destino, mas não avançam.

– Dra. Blake, posso lhe fazer um pedido? Eu apreciaria a sua opinião profissional.

– Claro.

Procuro falar com o máximo de clareza que permite minha respiração curta. Não posso acreditar que ele tenha escolhido este exato momento para uma conversa "profissional". Meu coração e a sensação de desejo entre as pernas pulsam no mesmo ritmo.

– Ótimo. Obrigado.

Jeremy parece satisfeito, ao continuar:

– Vejamos. Tenho a companhia de uma bela mulher pelas próximas 48 horas. Estamos hospedados na suíte da cobertura do melhor hotel de Sydney. Ela é *sexy* como o diabo, e não quero desperdiçar um momento sequer do nosso tempo juntos.

– Tenho certeza de que você não vai desperdiçar nem um segundo, Jeremy! Qual é o problema, especificamente?

Os toques cuidadosamente orquestrados impedem que eu fale com voz firme. Entro no jogo, mas o que quero mesmo é que ele acabe logo com a conversa.

– Ela sente dificuldade em "desligar". Não acredito que se jogue por inteiro na experiência que quero lhe proporcionar neste fim de semana. Uma experiência única, diga-se.

Tento mudar de posição e abrir um pouco de espaço entre nós, para ver o rosto de Jeremy. No entanto, ao perceber a tentativa, ele me mantém presa, com um braço em volta do meu peito e o outro embaixo do meu traseiro, passando pelo meio das pernas. Os dedos não param de tocar, mexer, acariciar... Eu havia esquecido como ele é bom nisso.

– Ela diz que vai colaborar, mas eu a conheço bem. Sei que a minha proposta vai contra sua natureza, potencialmente contra os valores em que acredita, daí sua dificuldade de se entregar, embora eu saiba que ela quer muito viver a experiência que tenho a oferecer.

Enquanto Jeremy desenvolve o discurso, a contínua pressão de seus dedos se intensifica lá embaixo.

O cheiro, o toque, as palavras dele. Vou ao delírio.

Devo estar sonhando. Isso não acontece na vida real. Ou acontece?

– Então, assisti esta tarde à palestra de uma psicóloga profissional, doutora em alguma coisa, para ver se ela apresentava uma solução para o meu problema. A propósito: você devia conhecê-la; acho que vai gostar dela – ele acrescenta com jeito brincalhão.

Oh, ele está gostando disso. E não tenho outro jeito senão aderir.

– E ela apresentou?

Ao falar, eu abafo um gemido, não sei se de frustração ou prazer. De todo modo, estou presa às mãos e às palavras de Jeremy.

– Apresentou, sim, e vou seguir o conselho.

As duas mãos dele trabalham ao mesmo tempo, nos mamilos e embaixo, como se quisesse deixar o corpo em estado de prontidão. Meu peito e meus quadris pulsam em harmonia. Sinto-me flutuar ao encontro dele. Enquanto a água esfria, eu pareço uma chaleira fervente.

– Decidi anular um dos sentidos da moça durante este fim de semana. De acordo com a pesquisa empírica da doutora, isso tem dois efeitos: primeiro, potencializa significativamente os outros sentidos, o que só pode ser bom, tendo em vista o assunto de que estou falando, não acha?

Ele espera.

Não respondo. Não consigo mais prestar atenção ao que ele diz.

– E segundo: a experiência dela se enriquece exponencialmente, superando todas as ideias e os limites preconcebidos. É incrível; todos os meus problemas foram resolvidos por aquela mulher maravilhosamente criativa.

As palavras me fazem engolir em seco, engasgar, quase sufocar. Jeremy belisca e massageia meus mamilos como se testasse sua elasticidade. Minhas costas se curvam, para acompanhar o movimento.

Ele continua, quase perdido nas próprias palavras.

– Analisei os cinco sentidos, e finalmente me decidi pelo que serviu de base à pesquisa e, com certeza, terá o maior impacto.

Com a outra mão, ele sonda a entrada da vagina. Massageia delicada e cuidadosamente, evitando de propósito a área que mais necessita de seu toque. Dedos de precisão absoluta.

Já não me sinto apenas um animal atravessando a estrada, perdido entre os faróis; parece que estou amarrada ao teto de um carro em alta velocidade. Quero que Jeremy se dane, por fazer isto comigo. Quero que o meu corpo se dane por atender! Chego a perder o controle da respiração, presa que sou de seu conhecimento e experiência.

– Ela é uma pessoa altamente visual, e acredito sinceramente que, sem esse sentido...

Não ouço mais nada. Minha respiração é curta e rápida, em uma tentativa desesperada de enviar mais oxigênio aos pulmões e ao cérebro. De repente, os dedos de Jeremy ficam imóveis.

Vou sufocar.

– Céus, Alex, você está ainda mais sensível ao toque, se isso é possível! As sensações percorrem todo o seu corpo! Assim, está me distraindo, e não consigo concluir o pensamento!

Eu? Distraindo? Está maluco!

A pausa é suficientemente longa para eu recuperar o fôlego. Mas não o bastante para impedir que ele fale nem para barrar suas intenções.

– Portanto, ela só tem de me prometer duas coisas: abrir mão do sentido da visão durante o fim de semana e não fazer perguntas pelas próximas 48 horas. O fim de semana vai superar todas as expectativas, romper seus limites preconcebidos. Uma experiência sensacional que ela vai adorar, com certeza. Somente agora percebo que se trata de uma ideia absolutamente óbvia. Não sei como não pensei nisso...

A voz de Jeremy se perde. Ele morde o lóbulo da minha orelha e faz cócegas com a língua. Sinto o calor de sua respiração. Os dedos dele retomam a missão de acariciar, mas frustram a satisfação que tanto desejo. Meu corpo quer explodir. Então, sua voz me chega com profunda clareza:

– Alexandra, prometa agora.

A fala é forte, determinada. Meu corpo estremece.

– É simples. Sem visão. Sem perguntas. 48 horas.

São tantos os sentimentos e as emoções, que não entendo bem as circunstâncias. O cérebro, o coração... O corpo todo se concentra em um único objetivo: gozar! Não sei se amo ou odeio esse poder que só ele, ninguém mais, tem sobre mim. Sempre me sinto frágil, dependente de seu próximo movimento. A mente se rende, e o corpo assume o comando.

– Prometa.

A voz me chega através de um redemoinho.

A intensidade do desejo é angustiante, e o banheiro começa a rodar. Há calor dentro de mim e calor em volta de mim. Forço os quadris para a frente, tentando criar atrito e facilitar a liberação da energia que Jeremy provocou com tanta perícia. Não consigo. Em resposta ao meu movimento, ele me prende com mais força.

– Prometa. Agora.

É a ordem final.

– Seja lá o que for... eu... prom...

As palavras não saem. Eu suspiro, apenas. Ele não para!

– MAIS ALTO.

A voz dele ressoa em meu ouvido como um tambor tribal, em ritmo cada vez mais acelerado...

– Prometo – falo ofegante. – Prometo – repito com um suspiro. – Faço o que você quiser... este fim de semana. O que você quiser.

De imediato os dedos de Jeremy penetram mais fundo na minha vagina, provocando o orgasmo que o corpo deseja tão frenética, desesperada e completamente. Deixo escapar um grito primitivo...

Ouço um sussurro distante e sedutor:

– Obrigado, querida, problema resolvido.

Ele encontra o ponto mais sensível do meu clitóris, o que provoca uma nova série de contrações, liberando todos os fluidos represados. Sem considerar por um segundo sequer as implicações das palavras que acabam de me escapar, atravesso avidamente as portas do prazer que Jeremy construiu, e com tanto zelo guardou e controlou.

***

Não sei ao certo por quanto tempo fiquei fora da realidade. Só sei que minha pele começa a enrugar. Lentamente volto à consciência.

– Tudo bem? Você foi maravilhosa.

Admiração verdadeira transparece na voz de Jeremy. Ah, sim, estou nos braços dele, na banheira. Sinto-me relaxada, plenamente satisfeita. A atmosfera de arrebatamento se desfaz aos poucos.

– Humm... Estou me sentindo tão bem... E você?

– Saia da banheira, antes que pegue um resfriado.

Ele me toma nos braços e me passa pelos ombros uma toalha grossa e macia. Eu aceito o conforto.

Com Jeremy em pé atrás de mim, ficamos os dois de frente para o espelho. Eu gostaria de estar usando sapatos de salto, para compensar a diferença de altura entre nós, que parece ainda maior. Sabê-lo despido e tão próximo me deixa os joelhos literalmente bambos.

Sustentando meu olhar pelo espelho, Jeremy desenrola devagar e deixa cair ao chão a toalha. Vejo a imagem dos nossos corpos nus. Os olhos dele são arrebatadores. Sem uma palavra, nos olhamos, com a nítida consciência do passado e do desejo que carregamos. O passado e o desejo se tornaram, com o decorrer dos anos, mais extraordinários e mais complexos do que poderíamos imaginar.

Jeremy finalmente quebra o silêncio:

– Você está ainda mais excitante do que nas minhas lembranças.

– E você sempre foi e continua a ser lindo – digo, sem responder ao comentário.

Ele repara que procuro não me deter na minha imagem no espelho.
– Alexa, abra os olhos e olhe para você.

Ele se aproxima do espelho, que toma toda a bancada, de modo que não tenho escolha, senão ficar frente a frente comigo. Às vezes, é bom ter alguém que faça outra imagem de nós. Ao me ver sem roupa, começo a procurar sinais óbvios de que fui mãe duas vezes. Estranho, até então nunca havia pensado nisso. Ainda bem que a luz me favorece. Enquanto esses pensamentos me passam pela mente, Jeremy junta minhas mãos e ergue meus braços acima da cabeça, fazendo com que eu fique na ponta dos pés. Então, flexiona meus braços para trás, de modo que os cotovelos sejam os pontos mais altos no espelho, e nada obstrua a visão do meu rosto. Jeremy está absolutamente irresistível, em toda a forma de seu corpo masculino. Nós dois abraçados e despidos diante do espelho, à luz de velas, criamos uma atmosfera de emoção e sensualidade jamais imaginada.

Estamos ligados por uma corrente elétrica palpável. A proximidade – a intimidade – me fascina e me prende à imagem no espelho. Adotando por um momento uma perspectiva profissional, penso: "Que ótimo exercício, nos olharmos assim..." Em vez de algo a ser evitado a todo custo, a natureza intensamente erótica do reflexo dos nossos corpos aquecidos no espelho emana energia sexual, em especial porque ainda estou sob os efeitos de um orgasmo maravilhoso.

– Quero que guarde este momento na memória. Que compreenda e absorva a sua beleza. O rosto corado. Os seios durinhos e cheios. As coxas gloriosas. Os olhos loucos de desejo. Lembre que esta é você, uma criatura infinitamente sensual e sexual. Nunca desejei ninguém como desejo você.

Sinto a profunda verdade das palavras e o pênis dele crescendo atrás de mim.

Mal me reconheço refletida no espelho. Quem sou eu?

O tempo para.

O momento é envolvente e excitante.

Não sei quantos minutos se passam, até que ele volta a me envolver com a toalha.

— Preciso organizar umas coisinhas, e você provavelmente quer um pouco de espaço. Fique à vontade. Vai ver que os armários estão bem sortidos. Quando estiver pronta, tenho uma surpresa.

Jeremy me beija na parte interna do pulso, sai e fecha a porta. Imediatamente sinto uma pontada no estômago, calor entre as pernas e endurecimento dos mamilos. Como ele consegue isso?

Para me equilibrar, apoio as duas mãos no mármore frio da bancada e olho diretamente para o meu rosto refletido no espelho. Sinto o corpo cheio de energia. Não me lembro de outra ocasião em que me sentisse tão viva. Minha mente se esforça para manter o controle e a perspectiva. O que estou fazendo? O corpo parece ser o elemento mais influente do meu ser. Com um suspiro, eu me entrego à plenitude do momento.

Jeremy falou a verdade, quando disse que o banheiro estava bem abastecido. Mais uma vez sua memória para detalhes se mostra impressionante. Bilhetinhos espalhados aqui e ali; perfume Jo Malone – um frasco grande, de *design* elegante, com a minha combinação preferida de fragrâncias, e espaço para acrescentar um toque final, caso eu queira usar algum de vários vidrinhos com perfumes; loção corporal, que minha pele devora com extrema rapidez, a ponto de merecer uma segunda camada; estojo de maquiagem Yves Saint Laurent, contendo base, corretivo, delineador, batom, máscara – tudo de acordo com o tom da minha pele, e suficiente para muito mais do que um fim de semana. Uau! Decido enlouquecer um pouco e usar tudo, aproveitar aquela feira de cosméticos. Com gritinhos de entusiasmo, vou abrindo as caixas e experimentando produtos maravilhosos que aparecem em revistas sofisticadas, mas nunca nas prateleiras do meu banheiro.

Provavelmente estou há bastante tempo explorando o país das maravilhas cosméticas, quando ouço uma leve batida na porta.

— Alexa, morreu aí dentro?

A voz de Jeremy aos poucos invade meu momento de prazer.

— Ah, desculpe. Não acredito. Quando foi que arranjou isso? Como soube? Quer dizer... Faz tanto tempo... É absolutamente incrível! Eu me sinto uma criança abrindo os presentes... – falo atropeladamente.

— Perguntas, perguntas... — ele diz, com um muxoxo.

Percebo um leve tom de ameaça na voz de Jeremy. É o suficiente para eu tomar consciência da promessa que fiz durante o banho, em um momento de fraqueza e desejo intensos. Todos os pelos do meu corpo se arrepiam, e eu me reteso, como um gato que sente a iminência do perigo. A que ele se referia? Estava falando sério? Quer que eu fique cega durante o fim de semana e não faça perguntas? Com certeza estamos crescidos demais para esse tipo de brincadeira. Ou não? Para aumentar minha preocupação, imediatamente me vem à memória a primeira e única vez que tentei fugir ao cumprimento de uma promessa feita a ele, nos tempo de estudante. Estranho... Esqueci o que tinha prometido, mas as consequências embaraçosas estão bem marcadas.

Estamos na quadra da universidade, perto do auditório.

— Tem certeza absoluta de que vai renegar o nosso acordo? — Jeremy pergunta, com jeito autoritário.

Faço que sim. No momento seguinte, ele me joga por sobre os ombros, agarra meus tornozelos e me faz escorregar pelas costas dele. Fico de cabeça para baixo, de frente para quem está atrás de nós.

Eu grito e me contorço, tentando escapar:

— Me ponha no chão, seu nojento! Você não pode fazer isto! É uma barbaridade! Me ponha no chão!

— Posso fazer e vou fazer, até você cumprir o que prometeu.

As pessoas observam a cena, rindo. Sabem que somos amigos, e não se trata de uma briga de verdade. A lei da gravidade joga minha camiseta sobre os ombros, e fico tentando segurar, para não tornar meu sutiã uma peça pública. É complicado bater nele com a mão direita e segurar a camiseta com a mão esquerda. Ainda bem que estou de calça jeans. Jeremy sai andando.

— Vai fazer o quê? Isto é maluquice!

É difícil projetar a voz quando se está de cabeça para baixo. Fico absolutamente enfurecida. Ele caminha pelo corredor e conversa com os colegas como se fosse normal carregar uma pessoa às costas. Todo mundo ri quando ele explica que eu precisava de uma carona até a sala de aula. Neste momento, se pudesse, eu o atacaria com todas as minhas forças. Com o afluxo de sangue para a cabeça, estou vermelha como um tomate maduro.

Ao chegarmos à sala de aula, ele me deposita com delicadeza em um assento da fileira da frente e cumprimenta o professor com toda a naturalidade. Em seguida curva-se, toma as minhas mãos e diz com um sorriso:

– Volto aqui no fim da aula.

Eu praticamente cuspo as palavras, ao responder:

– Você não pode estar falando sério.

– Ah, estou, sim, senhorita Alexandra.

Enquanto lanço na direção dele meu olhar mais mortal, ouço o professor dizer:

– Muito bem, vamos começar, que temos muita matéria hoje.

Jeremy me dá um beijo no rosto, solta minhas mãos e acena em despedida. Estou tão sem graça, que afundo na cadeira, para não encontrar o olhar de ninguém. Quando mexo os pés, encontro minha mochila com os livros exatamente embaixo do assento. Nada como uma ação bem planejada.

Não consigo me concentrar na aula. Minhas duas principais preocupações são: em primeiro lugar, a fuga; em segundo, a vingança. Como ele ousou fazer aquilo? Escrevo rapidamente um bilhete pedindo a uma colega que me passe depois suas anotações. Uma saída estratégica parece a opção mais segura, para o caso de Jeremy cumprir a promessa de me pegar na saída. Quando faltam quinze minutos para terminar a aula, saio o mais discretamente possível pela porta do fundo da sala. Ao ver o corredor vazio, comemoro em silêncio a escapada e começo a caminhar, bufando de raiva. Já ando bem depressa, quando alguma coisa me desequilibra.

– Que... – começo a falar.

– Oi, lindinha, pensou que eu ia cair nessa?

Jeremy me pega pelas pernas e repete o que fizera antes. De onde, diabos, ele saiu? Desta vez, o destino é a cantina. Pelo caminho, explodem as risadas e os aplausos, por Jeremy ser um "homem de verdade". Estou fervendo. Ele me coloca em uma cadeira, mas me mantém presa pelos ombros e pelos pulsos; sabe muito bem que, ao menor descuido, saio correndo. Olho de cara fechada para os garotos em volta, todos com um sorrisinho no rosto, embora tentem disfarçar. Patrick e Neil trazem uma bandeja e deixam diante de mim. Provavelmente Jeremy pediu meu almoço antes, para não precisar se afastar. As risadas não deixam dúvida: todos acham a situação muito divertida.

– Não tente nada, AB, ou as coisas vão piorar muito para você.

– E por quanto tempo pretende continuar com isto?

Meu tom de voz é gelado.

– Exatamente pelo mesmo tempo que você levar para cumprir a sua promessa, amiga.

Droga, ele tem palavra.

A "operação" continua até eu não suportar a ideia de ser carregada como um saco de batatas e deixada na sala onde terei a última aula: Psicologia da Sensação e da Percepção. É minha matéria preferida, e a turma tem só doze alunos.

– Está bem, Jeremy, já chega. Eu aprendi a lição. Você venceu.

Ele me põe no chão delicadamente, pés para baixo, cabeça para cima.

– Estou feliz. Você recuperou o juízo, AB. Com certeza não gostaria do que eu tinha preparado para hoje à noite.

– Céus, você é uma força irresistível!

– Não vale a pena resistir, mesmo, eu reconheço, embora considere "persistente quando necessário" uma definição mais acertada.

– Seja o que for, preciso ir para a sala de aula – digo, louca para me ver livre dele.

– Tem certeza de que não quer uma carona? Minhas pernas são mais rápidas do que as suas!

O sorriso de Jeremy é tão insolente, que não posso deixar de rir, embora me esforce para parecer zangada.
— Muito engraçadinho. Até mais!

A memória é nítida, como se o fato tivesse acontecido ontem. De onde vêm essas lembranças? Faz anos, décadas talvez, que não penso nisso. Balanço a cabeça, em uma tentativa de afastar o passado e rejeitar qualquer possível importância nele contida.

***

— Você acha que vai estar pronta logo?
— Com certeza.

Que alívio! Ele não mencionou a promessa, felizmente. Tampo depressa os vidros e guardo os produtos nos estojos. Tomo especial cuidado com o perfume, de que gosto muito; adoraria ficar com ele.

— Só falta secar o cabelo. Fico pronta em um minuto.

Localizo o secador, suspendo o cabelo, seco a parte de baixo, onde os fios estão úmidos, e deixo cair em ondas, sobre os ombros. Meu rosto e meu corpo parecem tão bem, que retribuo o sorriso da pessoa que me olha do espelho. Nada como um hotel cinco estrelas, champanhe francês, um orgasmo divino em uma banheira maravilhosa e todos os produtos de beleza que existem sobre a face da Terra para fazer uma mulher se sentir docemente mimada, pelo menos por algum tempo. Pego um roupão grosso, enorme (eles nunca são feitos para a mulher mediana), ajeito no corpo e deixo os "brinquedos" do banheiro, para mergulhar na elegância da suíte e nos braços de Jeremy.

Ele me recebe com um abraço apertado, dizendo:
— Você parece excitada...

Correspondo ao abraço, e a paixão nos olhos dele me deixa momentaneamente sem ar.

— Afora a culpa, estou adorando os cuidados.

– Venha cá, é hora de se sentir um pouco mais mimada. Quero mostrar uma coisa.

Com os braços passados pelos meus ombros, Jeremy me guia rapidamente até o *closet*. Somos como crianças que encontram uma cesta cheia de brinquedos novos. Quando ele para de repente, com um sorriso largo, estou ofegante.

– Sempre quis fazer isto, Alex, mas nos tempos de universidade faltou coragem. Você usaria esta roupa para mim esta noite?

Eu me aproximo de um vestido simples, elegante e sofisticado, de uma cor linda: vermelho escuro. Tem um corte em diagonal, que deixa nu um dos ombros

– Jeremy, é simplesmente maravilhoso! Estou... Não encontro as palavras! Por que está fazendo isso tudo? Não entendo... Tenho a impressão de que perdi alguma coisa.

– Não precisa entender. Sempre quis proporcionar isto a você. Está tudo aí. Mal posso esperar para ver. É bom que tenha gostado. Tente não demorar tanto quanto demorou no banheiro, senão vou ter de acelerar o processo.

Permaneço imóvel, olhando para Jeremy e para o vestido. Como quem quer reforçar as últimas palavras, ele me dá um tapinha no traseiro.

– Está bem, está bem.

Depois de passar a mão no tecido suave e macio, tiro o roupão e enfio o vestido pela cabeça. O modelo se adapta perfeitamente ao corpo, e fico satisfeita ao ver que tem um sutiã embutido, para acomodar o busto. Do lado esquerdo, o tecido desce em cascata, da cintura até roçar o tornozelo. Encontro também uma caixa com belos sapatos de salto fino, que fico em dúvida se devo experimentar. Não uso um calçado como este desde quando tinha 20 e poucos anos, e não sei se ainda sou capaz de manter o equilíbrio e a elegância com ele.

Eu me olho surpresa no espelho. Nunca usei uma cor tão vibrante, e o modelo é ousado. A pessoa no espelho é *sexy*, confiante, sedutora. Vejo sobre a bancada um prendedor de cabelo bem trabalhado, em estilo antigo. Então, ajeito o cabelo em um coque frouxo, do mesmo lado do ombro nu. A imagem no espelho adquire um novo e inesperado toque de sofisticação. Nada de perguntas agora. Estou vivendo a minha versão de *Uma Linda Mulher,* e por enquanto, pelo menos para mim, o enredo é melhor do que o do filme original.

Nem lembro quando foi que me produzi assim pela última vez. Com um pouco mais de maquiagem e a ajuda de um cabeleireiro profissional, estou pronta para pisar o tapete vermelho da festa de entrega do Oscar. Com mais uma olhada na figura glamourosa refletida no espelho, na qual custo a me reconhecer, caminho confiante para a sala.

Ao me ver, Jeremy fica de boca aberta. Eu me esforço desesperadamente para manter a imagem sofisticada e confiante que acabo de ver no espelho, em lugar da estudante universitária simples e descuidada a que ele se acostumou. Jeremy me observa. Um suspiro profundo e o olhar de admiração indicam que ele gosta do que vê.

– Oh... Oh! – ele faz. – Alexandra, não sei o que dizer. Você está... de tirar o fôlego!

– O vestido é lindo, Jeremy. Também não sei o que dizer.

– Não é isso, querida. *Você* está linda. O vestido só ressalta as suas qualidades.

Eu sorrio, ao ver que ele fala olhando para os meus seios, e corrijo:

– Além disso, disfarça os defeitos... Ah, a propósito, você esqueceu uma coisa.

– É mesmo? O que foi? – ele pergunta, parecendo surpreso.

– Calcinha.

Ele permanece impassível.

– *Lingerie* – eu insisto.

Sem resposta.

– Roupa de baixo, se é assim que prefere chamar.

Jeremy finalmente parece compreender.

– Ah, sim! Não esqueci, não. Você já está usando tudo que é necessário.

Ele me lança um olhar penetrante e continua:

— Você sabe que eu valorizo a acessibilidade, Alexa. Fico excitado só de pensar.

A piscadela com que ele encerra a frase me deixa corada, quase da cor do vestido.

Nesse momento percebo dúzias e dúzias de rosas em um vaso sobre a mesa, tantas como nunca vi. Estão ainda em botão e têm a mesma cor do meu vestido. São flores magníficas, perfeitas. Quando me aproximo para sentir o perfume, Jeremy logo se coloca atrás de mim. Sua respiração aquece meu pescoço. Os sapatos de salto me deixam mais alta, e ele não precisa se inclinar tanto para me abraçar.

— Cada rosa representa uma experiência que você vai viver neste fim de semana. São lindas agora, Alexandra, tal como você, mas imagine como vão estar depois de abertas, depois de explodirem em todo o seu potencial.

Enquanto fala, Jeremy roça minha nuca com os lábios. Essa boca e aquelas palavras fazem meus joelhos tremerem.

Minha voz sai fraca:

— Você com certeza está a caminho de conseguir isso, Jeremy. Nunca senti qualquer coisa parecida, honestamente.

— Ainda não viu nada, *baby*.

Ele fala com o jeito americano, recém-adquirido, e continua cerimoniosamente:

— Precisamos de outra bebida.

Em seguida, começa a preparar, sobre o aparador, alguma coisa que precisa de copos trabalhados e muito gelo.

— Oh, não, vodca? — eu pergunto.

— Desta vez não, apesar das boas lembranças. É diferente, você vai ver.

O tom de voz e o olhar de Jeremy me levam diretamente a um dos mais movimentados, surpreendentes e estimulantes encontros sexuais de que participei, e provavelmente não haverá outro igual...

Jeremy e eu finalmente terminamos as provas de meio do semestre, e estamos loucos por uma noite de descanso. Temos a impressão de ter passado os últimos meses agarrados aos livros. Estamos nos preparando para ir a um pub, a alguns quarteirões de distância, beber umas cervejas com os amigos, quando começa uma verdadeira tempestade, com raios e trovões. Uma olhada pela janela nos convence de ficar em casa, para tomar uns drinques e assistir a um filme. A solução nos agrada, depois de noites e noites de estudo; em vez de comemorar o fim dos exames, preferimos deixar o sono em dia. Assim que nos acomodamos no sofá, abastecidos de sidra e pipoca, chega Patrick, um amigo de Jeremy, também estudante de Medicina. Encharcado, ele fala alto, para abafar o som de um trovão que faz estremecerem as paredes:

– Cara, viu a tempestade lá fora? Oi, Lexi, não sabia que estava aqui. Como vão as coisas?

Sempre achei Patrick bonito. Dono de uma graça infantil, ele deve medir quase 1,80 metro, e tem o corpo musculoso condizente com o físico de um jogador de rúgbi do time da universidade. E me chama de Lexi.

– Olá, Pat. Tudo bem, obrigada.

– Entre, cara. Você pegou um bocado de chuva. Está molhado até os ossos!

– Obrigado. Estava indo ao pub, encontrar o pessoal, e a chuva me pegou. Espero que não se importem.

– De modo algum! Tínhamos resolvido ficar em casa para um filminho. Além da preguiça, quem pode sair com um tempo desses?

Depois de deixar as roupas na secadora, Patrick se junta a nós no sofá, com uma toalha branca bem amarrada na cintura. Seu corpo moreno é bonito, bem desenhado, como consequência dos muitos abdominais ou seja lá o que os atletas fazem para manter a forma. "Ah, sim, pode me chamar de Lexi", eu penso. Ele abre uma cerveja e acomoda-se para assistir ao filme.

Eu me sento em uma ponta do sofá, com as pernas sobre o colo de Jeremy. Patrick ocupa a outra ponta. Depois de uma segunda rodada de bebida, ele enrola um baseado. Prepara-se para acender lá fora, quando Jeremy o chama.

– Não se preocupe. Ainda está chovendo muito. E assim não precisamos interromper o filme.

Depois de uma longa tragada, Patrick entrega o cigarro a Jeremy, que aceita sem hesitação. Assim que sente a substância atingir os pulmões, ele me oferece. Ao ver que estou em dúvida, Jeremy insiste:

– Vamos lá, relaxe, as provas acabaram. Não vamos a lugar algum hoje, e temos a próxima semana de folga.

Convencida, eu me concentro em fazer tudo direitinho. Um engasgo é sempre embaraçoso; parece que todo mundo vem ensinar como se fuma corretamente. Eu esvazio os pulmões e, bem devagar, inspiro a fumaça, resistindo à vontade de tossir. A sensação me chega imediatamente ao cérebro, e vou orientando o processo: segure, segure, segure e solte com calma. Sentindo-me fraca de repente, eu me jogo no canto do sofá, e Jeremy pega o cigarro de volta exatamente quando ia cair da minha mão.

Uma segunda tragada é o bastante para mim. Fico no meu lugar, sem me preocupar com o que os rapazes fumam ou fazem. Quando recupero por completo a consciência, o filme está acabando, e eles riem. Sem saber por quê, começo a rir também. Terminado o filme, Pat sai dançando pela sala com a toalha na cintura, e Jeremy se junta a ele. A cena é estranha, iluminada pela televisão e sonorizada pela chuva. Ao menos ninguém vai reclamar do barulho. Jeremy tenta fazer com que me junte a eles, mas eu me defendo com uma barricada de almofadas.

– Não, vocês estão muito bem sozinhos. Me deixem como espectadora.

Eles iniciam passos ainda mais complicados. O resultado é ridículo, devido ao estado em que se encontram. De repente, desaparecem na cozinha. Quando voltam, trazem uma bandeja com copos de vodca. Eu agito a cabeça com força, dizendo que não.

– *Depois de um baseado, de jeito nenhum!*

– *Depois de um baseado, sim, Lexi, definitivamente. É o único jeito. Afinal, trata-se de uma festa pós-exame com chuvarada!*

Pat ri das próprias palavras, e Jeremy se junta às gargalhadas. Eles tentam trocar um cumprimento, mas erram o alvo; as mãos não se encontram no ar. Já sinto dor no estômago, de tanto rir.

– *Muito bem, Alex, só duas doses, e deixamos você em paz na sua trincheira* – Jeremy oferece.

– *Isso mesmo. Fique aí como uma linda princesa em seu confortável castelo* – Patrick acrescenta.

Genial. Solução perfeita. Neste momento, só quero o conforto do sofá e das almofadas que juntei aos poucos.

– *Uma?*

Eu jamais deveria ter me manifestado com uma pergunta.

– *Duas. Uma pelo Pat e uma por mim, e estará a salvo no sofá. Pelo menos por enquanto.*

– *Combinado!* – eu exclamo, como se a argumentação tivesse alguma lógica.

– *Saúde.*

– *Às novas experiências* – Jeremy diz.

Nós nos encaramos e tocamos os copos, como é nosso costume. Uma dose. Duas doses.

– *Vodca é uma bebida forte, em dose dupla.*

Patrick me oferece limonada, para diminuir a queimação.

– *Muita gentileza sua, Pat. Obrigada.*

– *Estamos aqui para servi-la, milady* – ele diz com um sorriso travesso, tentando fazer uma reverência.

– *O que me causa enorme prazer* – concordo, com uma piscadela.

Ainda bem que eles me deixam quieta no sofá, para desfrutar do meu pileque de vodca e fumo, enquanto continuam a dançar e exibir-se.

Quando olho em torno novamente, vejo que Jeremy, tal como Patrick, usa uma toalha na cintura.

– Vocês acham que fazem parte de um harém masculino? Olhem-se no espelho! Estão hilários!

A cena é absurda, mas, quanto mais olho, mais consciência tomo da movimentação de seus músculos e da beleza de seus corpos. Chego a ficar corada, quando me passa pela cabeça a ideia de tê-los no meu harém.

De repente, os dois estão no sofá, roubando minhas almofadas.

– O que vocês estão fazendo? – reclamo. – Me devolvam! São minhas! Isso não é justo!

Eles acham engraçadíssima a disputa.

– Vamos lá, AB, você está aí há muito tempo! As almofadas não podem ser mais importantes do que nós! Desapegue!

Em seguida, Jeremy me dá um beijo de língua.

Fico um tanto surpresa de que o beijo aconteça na frente de Patrick, mas o olhar dele parece tão desejoso quanto o de Jeremy.

Entendo tarde demais que eles trocaram um rápido sinal de "positivo", e, antes que me dê conta, Patrick me pega pelas pernas, e Jeremy, pela parte superior do corpo. Os dois me carregam para o quarto.

– Garotos!

Eu grito e me debato. Lá fora a chuva continua a desabar.

– O que vocês estão fazendo?

– Para haver igualdade, você também deve estar enrolada na toalha. Só queremos brincar um pouco.

Eles me depositam delicadamente na cama. Jeremy desabotoa minha calça jeans e começa a descer o zíper.

– Pat, suspenda Alex um pouquinho.

Patrick arqueia as minhas costas, para Jeremy puxar a calça.

– Isso mesmo. Agora, sentada.

Jeremy levanta minha blusa.

Eu o encaro, em dúvida quanto ao que fazer e quanto aos meus sentimentos. Não sei exatamente o que vai acontecer. Ele me olha e pergunta calmamente:

– Quer que eu pare?

– Não.

Lentamente mexo a cabeça para um lado e outro, fazendo que não. Não quero que parem. Quem, eu seu juízo perfeito, recusaria o toque de dois homens fortes, musculosos, em uma noite de tempestade? Eu não, com certeza! O calor no meu estômago imediatamente se espalha para áreas mais sensuais.

Ele abre um sorriso.

– Muito bem, MB. Eu sei que você quer se divertir, tanto quanto nós. Prometemos que receberá nossa atenção exclusiva. Relaxe e aproveite a viagem!

– MB?

Essa é nova.

– Claro, Menina Bonita!

Que beleza, minha lista de apelidos cresceu esta noite.

Jeremy se volta para Patrick.

– Você abre o sutiã e tira a calcinha, enquanto eu a ajeito na posição.

Custo a acreditar no que está acontecendo, nos dois homens sem roupa ao meu lado. Pensar no que pode vir em seguida é uma tortura. Estou vivendo isto mesmo? Se for verdade, esta é minha noite de sorte! Deixo que me deitem de costas na cama, nua, e mexam comigo: acariciem meus seios, mordam de leve minhas orelhas, beijem minha barriga, apalpem... Que me compartilhem, enfim. Fecho os olhos, e quando abro novamente, vejo Jeremy chupando meus mamilos. Com um gemido, torno a fechar os olhos por instantes, para logo admirar Patrick sensualmente traçando com a língua um caminho ao longo da parte interna da minha coxa. Ora juntos, ora separados, eles exploram meu corpo; cada um encontra um jeito de me levar ao máximo de prazer.

Durante muito tempo.

É espetacular.

Minha cabeça descansa sobre o colo de Patrick, ainda enrolado na toalha, quando ele e Jeremy iniciam uma conversa sobre Anatomia, pela qual não quero nem fingir interesse. Patrick acaricia e espalha sobre as pernas cruzadas os meus cabelos, enquanto Jeremy se deita ao nosso lado. Patrick encosta nos meus lábios um cigarro, que inspiro levemente, olhando para ele. Estou relaxada e satisfeita pela oportunidade de descansar um pouco da atenção que as mãos e bocas dispensavam ao meu corpo. Sinto-me flutuar.

Pat põe a mão na minha testa.

– Lexi, você está queimando! Tudo bem?

– Muito bem. Só estou achando o ar quente e abafado.

– Até aí, nenhuma surpresa...

Eles riem.

– Vou pegar o termômetro – Jeremy oferece.

– Não precisa, J – digo, rindo.

Patrick continua a acariciar meus cabelos, e isso me acalma. Respiro fundo e me deixo envolver por uma espécie de névoa. Desperto para a crua realidade quando Jeremy apoia minhas pernas nos ombros dele, abre minhas nádegas e introduz o termômetro, provavelmente lubrificado, já que entra com facilidade. Tento levantar o quadril, mas Patrick me segura os ombros junto à cama e mantém delicadamente minha cabeça em seu colo.

– Jeremy! O que está fazendo? – pergunto.

– Verificando a sua temperatura, AB. Não queremos que lhe aconteça alguma coisa grave. Melhor prevenir. Somos médicos, você sabe.

– Estou perfeitamente bem. Tire essa droga da minha bunda.

– Aguente só mais um minutinho. Não seria nada bom se o mercúrio vazasse logo agora em um lugar tão importante, não acha?

Por incrível que pareça, aquelas palavras foram suficientes para eu não mexer um só músculo, até que ele retirasse o objeto invasivo.

– Oh, sim, caro colega, diagnóstico perfeito. Ela está com 38,5. Ainda bem que tenho o remédio.

– Jeremy, seu idiota, eu não estou com febre – protesto.

– Acalme a paciente, por favor, dr. McCluskey.

Patrick imediatamente segura meus lábios com seus dedos grossos. Jeremy ergue meus braços acima dos ombros, que Patrick prende à cama com as pernas de atleta. Meus gemidos, na tentativa de fazer barulho, de pouco adiantam.

"E agora?" – penso. Eles devem estar exaustos. Eu estou.

Não parecem.

Jeremy coloca em cima da cama um balde cheio de gelo. Então, lentamente, esfrega uma pedra de gelo na face interna do meu braço e, em movimentos circulares, chega ao seio. Em seguida, repete a sequência do outro lado. Meu corpo superaquecido começa a reagir ao gelo que derrete sobre a pele. Ele pega mais pedras e prossegue o movimento, agora em torno dos mamilos. Enquanto isso, Patrick delicadamente esfrega gelo nos meus lábios, deixa a água escorrer para a minha boca e brinca com a minha língua. Sinto os braços dormentes, sob o peso das pernas dele; como instrumento de protesto, de nada servem. Aceito avidamente o gelo derretido que me desce pela garganta. Estou tão concentrada em matar a sede, que nem percebo Jeremy deixar meus mamilos e tomar o rumo do sul, fazendo uma pedra de gelo se equilibrar sobre o meu umbigo. Patrick assume imediatamente os mamilos. Estou literalmente envolvida em estimulação sensorial. Jeremy começa a resfriar minha vulva, provocando calafrios que se espalham pelo corpo, até introduzir com habilidade um cubo de gelo em minha vagina. Eu me encolho imediatamente.

– Por favor... – eu peço, sem me dirigir em especial a qualquer dos dois.

Jeremy introduz outro cubo de gelo. A sensação de um objeto muito frio forçado para dentro de um túnel aquecido faz meu corpo palpitar, tentando expulsar o invasor, que corta a carne supersensível. Antes que isso aconteça, Jeremy delicadamente enfia a terceira pedra de gelo. Ele está inteiramente absorvido pelo impacto de suas ações sobre o meu corpo.

Quando não suporto mais o fogo e o gelo brigando dentro de mim, Jeremy junta as minhas pernas e prende entre as pernas dele. Para completar, me beija a boca vorazmente. Ainda tenho a cabeça apoiada no colo de Patrick, e sinto seu pênis crescer. Ele muda de posição, para esfregar novamente o gelo nas minhas axilas, que eu não imaginava fossem tão sensíveis. Em seguida, ajeita meus braços ao longo do corpo, fixando os cubos de gelo no lugar. Jeremy cuida para que minha boca, ao norte, e o canal vaginal, ao sul, estejam cheios de gelo, enquanto limita meus movimentos. Eu me sinto um iglu pelo avesso. A sensação de calor corporal por fora e gelo por dentro é inteiramente nova. Todo o meu ser se agita, em um tremor incontrolável, revoltado contra a tentativa de esfriamento. O invasor gelado compete com o habitat onde se instalou. A sobrecarga sensorial experimentada pelo corpo deixa meu cérebro entorpecido.

Eu não grito. Não consigo gritar.

Os rapazes só me deixam quando todo o gelo derrete.

Jeremy se abaixa e, com gestos dramáticos, recolhe a água resultante, única e exclusivamente, de suas manobras. Apesar do frio, estou úmida de desejo, e entro em erupção.

— Viu, Alex, não lhe disse que um brinde sincero com vodca só traz coisas boas? Que experiência, hein?

Estou cansada demais para responder.

O interessante é que nunca descobri se eles haviam planejado tudo ou se foi obra do acaso.

Procuro afastar as lembranças excitantes e concentrar a atenção em Jeremy.

— Parece uma atividade bastante técnica. O que está preparando aí?

— Não é tão técnica quanto parece, mas pode dar bom resultado. Afinal, não é todo dia que nos encontramos. Como é sexta-feira à tarde, optei pela versão de Hemingway, um pouco mais complicada do que a francesa. A versão cigana faria disparar o alarme de incêndio.

A explicação nada esclarece.

Com toda a pompa, ele pega dois copos foscos com uma bebida leitosa e me entrega um.

Desconfiada, cheiro o conteúdo do copo. O aroma é doce, com um toque de anis ou alcaçuz.

– É a bebida de Vincent van Gogh, Oscar Wilde, Ernest Hemingway...

Se ele pretendia explicar alguma coisa, falhou. E, antes que eu perguntasse, propôs um brinde:

– A você, Alexandra, à exploração e à descoberta da versão iluminada de você mesma. E, é claro, ao desabrochar das suas rosas.

Jeremy encerra o brinde com uma piscadela e um sorriso travesso.

Posso estar usando o vestido mais bonito que já vi, estar me sentindo atraente como nunca, mas, de repente, voltamos à universidade, e vamos embarcar juntos, mais uma vez, em uma aventura divertida e ousada. Eu me sinto excitada e apreensiva como uma criança que vai conhecer um parque temático, e me entrego ao fascinante mistério do fim de semana, na certeza de que Jeremy jamais me faria mal.

Mas tenho ainda mais certeza de que não é o momento de contrariá-lo.

– *Skol*.

– *Slainte* – eu respondo.

Por tradição, dizemos "saúde" no idioma de um dos países que visitamos juntos. Olho bem para os olhos dele, antes de engolir o líquido geladíssimo de efeito assustadoramente rápido. De imediato sinto o sangue ferver.

– É este o espírito. Sabia que você não ia me desapontar.

– O que é isto, Jeremy?

– Absinto, querida, a "fada verde".

Jeremy pousa o copo e caminha lenta e decididamente na minha direção. Não consigo identificar a expressão de seus olhos.

– E então, Alexandra, está pronta para dizer adeus?

Desconfiada, olho para ele.

– Mal começamos. Pensei que você quisesse 48 horas.

Tento pensar, mas o absinto vai tomando conta do meu cérebro.

— É hora de cumprir a promessa que fez.

Ele pega minha mão e acaricia tão delicadamente, que mal toca a pele. Respiro fundo e procuro falar com o máximo de calma:

— Está se referindo a passarmos o fim de semana aqui? Decidido, você sabe. Eu vou ficar.

Na tentativa de parecer natural, minha fala sai pouco clara. Jeremy espertamente posicionou os dedos de modo que percebesse meu pulso cada vez mais acelerado. O que eu estava pensando? Enganar um médico? Enganar Jeremy?

— Está brincando comigo, Alex. Você sabe exatamente o que prometeu.

Ele continua a monitorar minha pulsação. Desvio o olhar, antes de responder.

— Ah, durante o banho? É disso que você está falando?

Com um sorriso, ele faz que sim.

— É, MB, exatamente disso. Pensou que eu tinha esquecido?

As palavras vêm carregadas de insinuação, de lembranças dos velhos tempos, embora se apliquem perfeitamente à situação atual. Eu recuo, para ver se deixo alguma distância física e emocional entre nós.

— O que foi, mesmo? Estava concentrada na conversa... Alguma coisa sobre a palestra... Os sentidos, não?

Pergunto de modo aparentemente despreocupado, para desanuviar o ambiente. Dentro de mim, porém, algo diz que a testa franzida e o silêncio de Jeremy representam um mau prenúncio.

— Você não falou a sério, falou, Jeremy? Não, com certeza. Achei que você estivesse brincando, para enriquecer a experiência...

Ele me interrompe.

— Eu pedi que você prometesse duas coisas: sem visão e sem perguntas.

Depois de uma pausa de efeito, ele continua.

— Por 48 horas. Muito simples. Nada que uma mulher esperta, inteligente como você, não entenda.

Sinto as palmas das mãos úmidas. Ele prossegue, com ar sério.

— Alexandra, você sabe melhor do que ninguém que eu jamais brinco ou faço piada com promessas.

Jeremy me olha fixamente, mas mantém a distância entre nós. Céus, ele falou a sério, ele quer que eu leve isto adiante. Logo agora, que eu começava a relaxar e me divertir. Típico de Jeremy, levar a situação a um nível insuportável. Sei perfeitamente como ele é. O que eu estava pensando? Fazer promessas levianas por causa da satisfação fugaz de um orgasmo explosivo... Ah, mas que orgasmo... E fazia tanto tempo que eu não tinha um... A expectativa de outro é forte demais. "Foco!" – eu me repreendo.

Resolvo argumentar com firmeza:

– Pois bem, Jeremy. Você me coagiu a ceder, e sabe tão bem quanto eu que isso não vale.

Espero ter reagido à altura, como último recurso para me safar.

– Ah, lembrou! Já é alguma coisa. Considerou aquilo coação, querida? Pois me pareceu que você estava gostando, e muito.

As palavras soam tão frias quanto o sorriso dele.

Procuro dar à resposta um tom convincente:

– Ainda assim, não quer dizer que não tenha havido coação. Você sabia que eu me encontrava em uma situação de fraqueza e se aproveitou.

– Está pronta? – ele pergunta com firmeza.

A discussão foi encerrada, obviamente.

O receio que sinto começa a dar lugar à irritação.

– Como? Vai querer que eu cumpra uma promessa idiota? Não faz sentido algum. Não precisamos passar por isso, Jeremy. Seria muito melhor se não houvesse... esta tensão entre nós, estes joguinhos. Somos adultos. Isso é criancice!

Jeremy me olha fixamente nos olhos e vem na minha direção. Automaticamente dou um passo atrás, como se considerasse mais seguro evitar aquele perigo envolvente, embora tentador. Ele continua a se aproximar. Ao recuar mais um passo, percebo que estou encostada na ponta da mesa. E agora? Devo correr? Parece ridículo, fugir do meu melhor amigo, do meu ex-amante. O problema é que não quero fugir. Tenho de argumentar.

– Por favor, Jeremy, por favor, você precisa fazer isto?

Preciso de tempo e de espaço. Ele usa os braços para me prender. Pressiona o meu corpo de tal maneira, que ou aguento a pressão ou me deito de costas sobre a mesa. Sei que devo a todo custo evitar seu olhar penetrante, ou serei transpassada até o mais fundo do meu ser. Jeremy nem precisa me tomar o pulso; todo o meu corpo palpita. Como um piloto de Fórmula Um, só tenho uma marcha: rápida.

– Alex...

Jeremy está próximo, firme, dominador. Sinto sua paciência se esgotando.

– Você prometeu, e sabe o que isso significa entre nós. Sabe que nunca prometemos o que não podemos cumprir, seja um para o outro ou para quem for. Sempre agimos assim, desde que nos conhecemos. Promessa é dívida.

A intensidade das palavras e a força da resposta me surpreendem momentaneamente. Eu não esperava que viessem carregadas de tanta emoção. Um arrepio me desce pela espinha. Como que obedecendo a um comando, minha memória reproduz toda a cena da promessa. Eu lembro perfeitamente o tom de voz de Jeremy.

– Você sabe que estou falando sério, Alexandra. Não vou deixar isto escapar.

"Mas vai me deixar escapar? E eu quero escapar?" As perguntas se cruzam em minha cabeça.

Sei que, quando ele me chama pelo nome, é melhor não contrariar.

O ar entre nós parece pesado, de tanta energia, emoção e ansiedade contidas. Tenho muito a dizer, mas as palavras não saem. Cadê as palavras? Que fim levou meu protesto? E minha fuga? Por que ainda estou aqui, aceitando isto? Deve haver alguma coisa que se possa fazer. Tenho a mente vazia. Era isto que eu queria? É o que desejo? Ele está se aproveitando de algo que neguei a mim mesma durante anos? Oh, não, minha mente proporcionou a abertura que ele procurava.

Continuo a buscar o olhar de Jeremy, para ver se descubro por que isto é tão importante para ele. Por que ele insiste tanto? Sei de sua personalidade determinada, vencedora, mas por que exatamente agora? Qual é a vantagem? Por outro lado, o que tenho a perder? Não entendo, apenas. Ele provavelmente percebe a mudança de rumo do meu raciocínio, porque sua voz interrompe a linha de pensamento.

– Chega! É agora. Decida.

Minha voz treme de emoção.

– Eu tenho escolha, Jeremy?

– Você sempre tem escolha, Alex, não se esqueça disso. Você não foi obrigada a prometer, nem eu a estou forçando a ficar. Estou simplesmente estabelecendo as condições, caso fique.

Jeremy, a inteligência superior.

Ele me toma pelas mãos e gentilmente me leva para a outra suíte. Sinto o coração cada vez mais acelerado, não sei se por efeito do absinto, da adrenalina ou se por pura emoção. Tento em vão fugir um pouco de seu controle. "Oh, céus, em que fui me meter?" Ao examinar o quarto, logo dou com os olhos em uma caixinha trabalhada – verdadeira joia – cuja tampa aberta revela uma elegante venda de seda, da mesma cor do vestido, com aplicações de delicada renda preta. Na mesinha de cabeceira, estão uma esponja, um frasco pequeno de unguento e um colírio. Planto os pés com firmeza no chão, mas o coração bate descompassadamente.

Dentro da minha cabeça, uma voz parece gritar: *Fuja agora, já! Mexa estes pés! Vai deixar que ele assuma o controle? Está errado, não é o que você quer! Você é mãe e esposa. Dê o fora!* Começo a tremer. Jeremy me abraça com força, como um enorme urso-pardo paradoxalmente apaixonado pela presa. Meus braços caem inertes.

– Por que tanta dificuldade, Alex? Isto é para ser excitante, envolvente, não para você tremer como uma folha em meio à ventania!

Ele fala em voz baixa, carinhosa, e eu não me descreveria tão bem.

– Por que é tão importante que eu obedeça, Jeremy?

– Você prometeu.

– Sinto que há mais alguma coisa. Me conte, por favor. Me diga o que vai acontecer. Por que é tão importante?

— Me dê este momento. Não vai durar para sempre. Prometo cuidar de você. Alguma vez deixei de cuidar?

Dou um longo suspiro. É verdade. Vivemos tempos difíceis, mas ele sempre cuidou de mim. Estou confusa. Jeremy diz que tenho escolha, mas não é o que parece. Ou será a minha imaginação? Não sei, honestamente. Estou mergulhada em pensamentos e emoções, quando percebo uma bandeja de maçãs perfeitas, no centro da mesa redonda. Estranho eu não ter notado antes frutas de um simbolismo tão óbvio. Por uma fração de segundo, imagino como Eva deve ter se sentido, ao ser tentada pela serpente. Talvez soubesse que era errado, mas intuitivamente também suspeitasse de que o destino se cumpriria, quaisquer que fossem os seus atos. Estaria ela destinada a exercer um papel na história bíblica, e a tentação, predeterminada? Ou teria ela tomado a iniciativa, porque queria comer a maçã e ver o que aconteceria? Esse debate interior em nada ajuda a esclarecer meu dilema do momento.

— Não sei o que fazer, Jeremy. Simplesmente não sei.

No fundo, tenho certeza de que essas não são as palavras a dizer ao homem que está diante de mim. Ainda assim, a resposta dele me surpreende.

— Sei que estou pedindo muito, mas lembre que fui inspirado pela sua palestra desta tarde. No mínimo, servirá como uma experiência de aprendizagem, e tenho certeza de que você não pretende parar de estudar. Sei como considera isso importante. Pense no que aconselha os seus clientes e alunos a fazerem em favor do crescimento pessoal. Há alguma diferença? Só porque *sou eu* que estou pedindo? Estou lhe dando a oportunidade de sentir na pele o impacto da falta de estímulos visuais, de explorar pessoalmente a privação de sentidos, justamente o assunto da sua especialização. Talvez signifique uma nova tese, uma pesquisa importante que poderia nunca acontecer, e tudo baseado em experiência própria!

Ele para um pouco, para avaliar a minha reação. A linha de pensamento é, no mínimo, instigante. Com certa relutância, admito que a proposta me interessa, embora eu não seja capaz de garantir coragem e determinação de explorar minhas reações em um nível tão pessoal.

– Não quero que você vá embora. Quero tocá-la, estar ao seu lado. Você está divina, e vejo nos seus olhos que sabe disso. Quero você, Alex, e pelas próximas 48 horas, levá-la aonde nunca se permitiu ir. Vou romper os seus limites, chegar à essência do seu ser, apresentar você a si mesma. Eu sei como fazer isso. Confie em mim, por favor. Deixe que eu a guie nesta expedição exploradora. Entregue-se.

Meu cérebro e meu coração absorvem as palavras como esponjas. A presença e o carisma de Jeremy atraem e seduzem.

Sinto-me tão perdida nas palavras dele como quando estávamos juntos na banheira. Ele me conduz até a beirada da cama e me faz sentar. Entro em um estado de tranquilidade. Estou energizada, mas calma.

– Sabe que sempre a amei, Alexa. Eu jamais machucaria você.

O carinho que transparece na voz de Jeremy incentiva meu corpo a relaxar, e minha mente a ceder. Movo levemente a cabeça, como se quisesse dizer "Eu sei, eu entendo", mas permaneço calada.

Ele acaricia minha testa e coloca as palmas das mãos em minhas têmporas, enquanto fala:

– Nunca encontrei nem vou encontrar alguém como você. Fique quietinha, Menina Bonita, me deixe cuidar de tudo.

O medo que me tolhia desaparece misteriosamente, substituído pela pacificação. O corpo está sereno, e a mente, presa às palavras de Jeremy. Não sei se conseguiria me levantar da cama neste momento, caso tentasse.

– Vai deixar que eu faça o que tenho de fazer?

Com um leve gesto de cabeça, digo que sim.

– Não vai resistir?

Desta vez, faço um gesto dizendo que não.

Ele pressiona leve, mas firmemente, os meus ombros e me leva a deitar de costas na cama.

– Olhe para mim, Alexandra. Está pronta para dizer adeus à sua visão por 48 horas?

– Sim – respondo baixinho.

Uma lágrima me escapa, talvez pelo sentimento contido na decisão tomada. Jeremy beija delicadamente o rastro da lágrima no meu rosto, como que reconhecendo o poder que lhe concedo. Seus dedos me suspendem o queixo, inclinando minha cabeça sobre a palma da outra mão dele.

– Obrigado.

Jeremy afasta os fios de cabelo que me caem no rosto e, com habilidade, pinga duas gotas de unguento em cada um dos meus olhos. Quando pisco, em seguida, o cômodo imediatamente fica escuro, borrado.

– Feche os olhos – ele pede.

Respiro fundo e obedeço. Sinto o unguento em contato com a parte interna das pálpebras, que ficam incrivelmente pesadas. Em poucos segundos, estou rodeada pela escuridão.

O que foi que eu fiz?

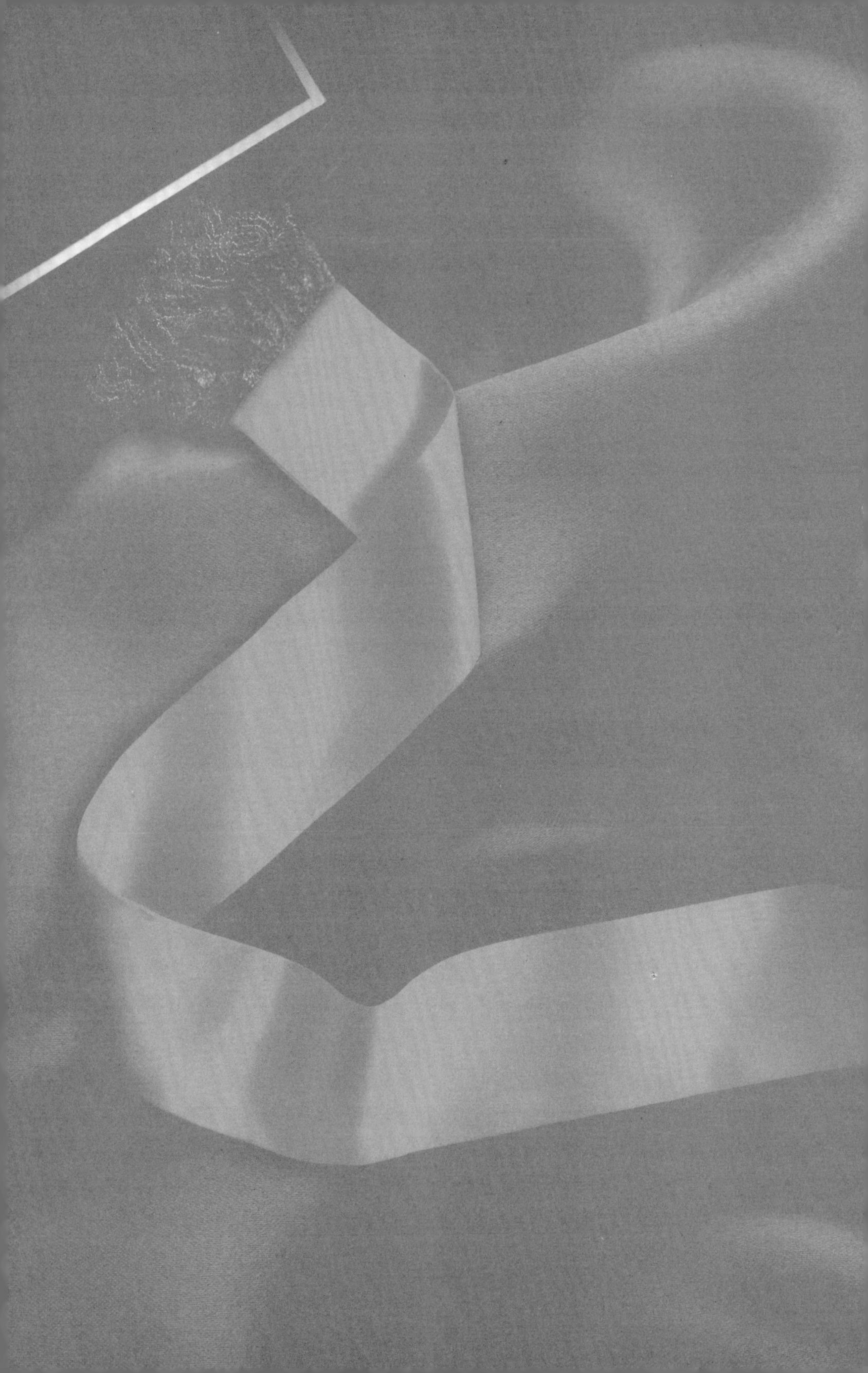

Parte 3

"A vida é uma sucessão de lições que devem ser vividas,
para serem aprendidas."

– Ralph Waldo Emerson

— Como está se sentindo?

— Meio desorientada.

Eu me sento na cama com cuidado. Tudo parece definitivamente estranho, como um sonho escuro. Não consigo erguer as pálpebras, verdadeiros pesos mortos no meu rosto. Viro a cabeça para um lado e para o outro, em busca de luz, mas não encontro, obviamente.

— E então, foi muito difícil? – Jeremy provoca.

— Não foi fácil, posso garantir. Duvido que você aguentasse, no meu lugar.

— A estrela deste fim de semana é você, querida, não sou eu.

— O que foi que pingou nos meus olhos?

— Fique tranquila. Nada que não tenha sido aprovado pelos mais rígidos padrões farmacêuticos. Eu jamais arriscaria a sua saúde. Sou médico, lembra? Levo meu juramento muito a sério.

Maravilha, princípios morais e acesso a drogas.

— Muito tranquilizador, dr. Quinn, dada a minha situação atual.

Ele ri.

— Honestamente, está tudo bem? Posso ajudar em alguma coisa?

— Claro que vou precisar de muita ajuda, agora que fiquei completamente cega! Tem certeza de que não é permanente?

— O efeito das gotas dura 24 horas, mais ou menos. Amanhã vou fazer outra aplicação. Quando o efeito estiver diminuindo, me avise.

— Sem problema. Vou avisar assim que perceber um ponto de luz.

Minha voz está carregada de sarcasmo. Levanto a mão, para passar nos olhos. Parecem tão pesados... Mas Jeremy rapidamente impede o gesto.

— Não! Não toque em nada. Por isso vai ter de usar esta venda. Para se lembrar de deixar os olhos em paz.

– De modo algum! Não é preciso. Não enxergo nada!

– É preciso, sim, e você vai usar.

A venda, de um tecido sedoso e macio, desce pela minha cabeça, adaptando-se confortavelmente aos olhos.

– Outra peça perfeita. Mandou fazer? – pergunto com ironia.

Nenhuma resposta.

– Jeremy?

O silêncio continua.

– Mandei. Na verdade, mandei sim, Alex.

***

– Venha comigo.

Jeremy pega minhas mãos e faz com que eu me levante da cama com cuidado. Esquecida de que estou de salto alto, quase perco o equilíbrio.

– Uau, que estranho.

Ele passa os braços pela minha cintura e me guia com certa dificuldade para fora do segundo quarto. Eu me sinto inválida. Custo até a acreditar: um fim de semana inteiro cega e dependente de Jeremy. Estou tensa, nervosa, mas de algum modo excitada, por não saber o que vai acontecer. O sonho acabou; só espero não entrar em um pesadelo.

– Aqui, acomode-se.

Ele me ajeita no assento de veludo macio. Procuro os braços do sofá, mas não encontro. Como será que os cegos vivem o dia a dia, sem saber o que vai acontecer, e quando? A voz positiva dentro de mim agradece por eu ter conhecido a suíte do hotel antes de perder a visão. Pelo menos me familiarizei um pouco com o ambiente.

Uma batida na porta me assusta.

– Fique aqui. Eu já volto.

Sem esperar pela resposta, Jeremy se afasta. Ouço quando ele cumprimenta rapidamente a pessoa que bateu. Sentada em silêncio, com uma venda nos olhos, sinto-me uma perfeita idiota.

Pelos ruídos, concluo que estão arrumando a mesa, e uma garrafa foi colocada no balde de gelo. Seria champanhe? Um leve cheiro de comida se espalha. Nenhuma palavra é trocada entre as pessoas que chegaram e Jeremy; elas apenas fazem seu trabalho e saem tão discretamente quanto entraram. Jeremy agradece e fecha a porta.

Ele se senta ao meu lado e me entrega uma taça de champanhe.

– Obrigado, Alexa, isto significa muito para mim.

A privação do sentido da visão é tão estranha, que sinto dificuldade até em falar, e prefiro não responder. Assim que tocamos as taças, me vem uma necessidade desesperada de beber o champanhe, e pego o máximo possível de líquido em um só gole. De repente, a realidade me atinge com a força de uma tijolada na cabeça. Estou à mercê do que vier em seguida. Talvez outra dose de absinto me deixasse entorpecida. O que foi que eu fiz? Tudo pode acontecer... Eu me entreguei numa bandeja, literalmente. Que diferença faz outra taça de champanhe? Assim, se eu morrer, pelo menos vou estar fora de mim, sem consciência do ridículo da situação. A voz racional da minha mente logo se pronuncia contra a sanidade dessa lógica. Continuo virando a taça na boca, mas deve estar vazia, porque não cai uma só gota.

– Ei, Alex, você nunca bebe tão depressa!

Finalmente recupero a voz para responder.

– É, Jeremy, mas situações extremas podem resultar em comportamentos extremos.

Estendo a taça e continuo:

– Pode encher a minha, por favor? O champanhe está delicioso.

– Tem certeza? – ele insiste.

– Toda a certeza do mundo. Vou adorar beber outra taça. Ficaria muito feliz em me servir, caso você tivesse a gentileza de me levar até a garrafa, mas detestaria entornar alguma coisa neste magnífico tapete cinco estrelas – respondo séria.

– Está zangada comigo?

"Um cientista meigo", penso com ironia. Talvez tenha me enganado quanto ao cociente emocional de Jeremy. Na verdade, sinto menos raiva dele do que de mim, por ter concordado com esta situação ridícula. A falta de visão me desestabiliza completamente. Uma coisa é entender o conceito, a sensualidade da ideia, outra é saber que as circunstâncias vão se estender por 48 horas. A consciência do que fiz desperta em mim emoções mais poderosas do que eu esperava.

Como não consigo ver Jeremy, nem decifrar suas emoções, mantenho o braço estendido, à espera de que ele encha novamente a taça. Preciso de álcool para completar o vazio.

– Alexandra, está mesmo zangada comigo? Honestamente?

Mais um "momento Alexandra". Continuo esperando. Ele pega a taça, torna a encher e me devolve. Que alívio! Decido não responder. A pergunta sem resposta me dá certa sensação de estar no controle.

– Delícia de champanhe, Jeremy. Qual é? Acho que não tinha provado ainda.

Sinto que o fato de eu não haver respondido o deixa confuso. Infelizmente, ele me conhece bastante, e sabe que quanto mais polidez imprimo aos gestos, mais intensa é a emoção que procuro esconder. Talvez nem eu me conheça tão bem. É por isso, sem dúvida, que estou aqui sentada, toda produzida, com uma venda nos olhos, presa por um fim de semana na suíte da cobertura do hotel. Frustrante.

– É champanhe Krug. Bebemos na formatura. Você gostou e ficou ótima...

– Ah, eu lembro – corto.

Não quero fazer uma viagem ao passado logo agora. Os momentos de calma hipnótica foram substituídos por uma sobrecarga de emoções.

– Mais uma razão para beber – concluo, com outro gole.

Pelo menos não bebo com tanta pressa. Ouço Jeremy suspirar.

– Quer comer alguma coisa, para acompanhar o champanhe?

Tenho de concordar que uma comidinha não cairia mal. Apesar do redemoinho de emoções, meu cérebro racional não me deixaria beber mais sem comer.

– Seria ótimo, obrigada – respondo formalmente.

Posso imaginar a expressão de desagrado de Jeremy.

– Abra a boca, por favor – ele pede, mais perto.

– Pode deixar na minha mão – digo, com firmeza.

– Alex, isto é ridículo.

Com expressão desafiadora, bebo mais um gole. Afinal, a cegueira talvez não implique dependência total. Deixo escapar um sorriso, e Jeremy rapidamente toma a taça da minha mão.

Meu sorriso desaparece de imediato.

– Só devolvo a taça se você abrir a boca.

Estou para dar uma resposta desagradável, quando alguma coisa pequena e deliciosa pousa sobre a minha língua. Apesar da surpresa, o sabor estimula as papilas gustativas, e decido engolir. Qualquer atitude diferente seria desperdício. Não demora muito, e vem outro. *Blini*. Absolutamente delicioso. O gosto forte de truta defumada contrasta com a leveza da massa, e sinto a ova de salmão deslizar. O levíssimo toque de erva-doce confirma que se trata da mesma iguaria que provamos na Rússia, anos atrás. Impressionante! E o melhor é que estamos bebendo champanhe, em vez de vodca. Meu estômago agradece.

– Mais? – Jeremy pergunta.

Sem querer dar a ele o gostinho de uma resposta explícita, faço um gesto com a cabeça, dizendo que sim. Desta vez, vem alguma coisa morna e macia, com gosto de alho e ervas. Não consigo deixar de me manifestar.

– Humm... Maravilha! Vieira?

– Isso mesmo. Quer outra? – ele oferece, limpando com um guardanapo de linho o canto da minha boca.

– Sim, por favor.

Assim que acabo de engolir a vieira, Jeremy me devolve a taça. Percebo que ele fica satisfeito, ao ver que comida e champanhe acalmam minha revolta e me animam.

– Importa-se de dividir comigo os seus pensamentos?

Acredito que minha raiva resulta da ansiedade pela perda do controle, em especial porque estou acostumada a controlar tudo. Assim, se a emoção não ajuda em nada, é melhor eu me livrar dela. Do contrário, as próximas 48 horas serão insuportáveis para nós dois. Apesar de ainda irritada, por causa da cegueira e da dependência, acho melhor ficar em paz e falar com Jeremy.

Depois de alguns minutos de conversa, ele se aproxima e me dá a mão, para que eu me levante.

– Me diga honestamente: como está se sentindo? Gostando?

– Vamos ver se entendi. Você pode perguntar o que quiser, mas eu não posso fazer nem uma perguntinha. É assim que funciona?

Bem devagar, Jeremy passa os lábios pelo meu pescoço e desce até a clavícula. Sua respiração me chega tão leve, que parece o roçar de uma pluma. Em seguida, responde.

– É assim mesmo que funciona. Pelo menos durante este fim de semana. Depois, vai haver muito tempo para perguntas. Agora diga: isto excita você?

Os lábios dele continuam o passeio e me descem pelo peito. Pela milésima vez hoje minha respiração se torna irregular, e chego a ficar um pouco tonta. Sinto a vulva intumescida e úmida. Não consigo conter um suspiro.

– Já entendi que a resposta é sim – Jeremy sussurra, mordiscando a minha orelha.

– É, me excita um pouco.

Tento disfarçar, para compensar o suspiro que escapou. Os beijos dele provocam meus lábios.

– Também me excita, e muito – ele diz, guiando minha mão para o volume que se forma sob sua calça.

Preciso de toda a concentração, para não cair de joelhos e engolir imediatamente aquele volume. A intensidade da atração sexual em estado bruto me faz perder as forças. Parece que já nem sei que sou...

O toque do telefone me traz de volta à realidade. Sem largar minha mão, Jeremy atende. Eu o sigo cegamente, com o máximo cuidado para manter o equilíbrio sobre os saltos.

– Ótimo. Obrigado. Estamos a caminho.

Ele desliga.

– Alex, você parece assustada! O que há de errado?

– Nada. Por quê? – respondo nervosamente, torcendo as mãos.

Será que nem a venda impede que ele identifique minhas expressões?

– Por nada. Está pronta para jantar comigo?

O pânico cresce dentro de mim. Ele está falando sério?

– Não vamos jantar fora, Jeremy... Não posso sair assim. Por favor, diga que está brincando.

– Claro que vamos. Por que eu ficaria confinado em um quarto de hotel, desperdiçando a oportunidade de exibir a sua beleza? Seria absurdo.

Sinto a respiração encurtar. *Calma, respire* – digo para mim mesma, mas a fala desobedece.

– Quantas vezes você vai ultrapassar limites esta noite, Jeremy? Não aguento, é demais! Eu nem me recupero de um impacto, e lá vem outro!

Faço uma leve pausa para respirar e retomo a enxurrada verbal:

– Não sei o que penso, não sei o que sinto, não sei o que devo lhe dizer. A situação é estranha demais para mim. É irreal, surreal!

Eu me ouço falando desordenadamente, procurando palavras para descrever a emoção que ameaça me dominar.

– Estou sem defesa, Jeremy. Você me tirou todas, ou eu deixei que tirasse, não sei. De todo modo, não pode ser uma coisa boa. Levei anos para aprender a dar respostas coerentes, e agora, veja. Não sei o que penso, o que sinto nem o que faço. Por que está me fazendo passar por isto?

Ele não responde, mas percebo que está perto, e minha intuição diz que me olha atentamente. Preciso de um momento para normalizar a respiração e recuperar alguma tranquilidade. Sinto-me uma criança perdida na selva, sem saber em quem confiar ou para onde ir.

Jeremy me abraça pela cintura e, com a outra mão, me segura pelo pulso, para tomarmos o que imagino seja a saída. Ouço a porta se abrir.

– Oh, não, por favor, Jeremy, vamos ficar aqui. Que horas são? Não é tarde demais para jantar? Eu nem estou com fome. Já comemos alguma coisa... É um desperdício!

Sentindo os saltos afundarem no tapete, procuro as palavras e vou jogando os argumentos, na tentativa de convencê-lo.

– Não podemos ser vistos em público, entende? Como vou sair vendada? E sem calcinha!

Acabo me desequilibrando e vou parar nos braços de Jeremy, provavelmente do lado de fora. Ele me ampara com segurança.

– Aonde está me levando?

Preciso desesperadamente de alguma forma de resposta verbal. O silêncio é exasperante. De repente, ele me encosta à parede e pressiona o corpo contra o meu.

– Eu sei que você tem perguntas, Alexa, como sempre. Mas já lhe disse que este fim de semana não é para isso. Contei quantas perguntas você fez até agora, e estou avisando: acho melhor parar, ou vai haver um castigo para cada uma. Comporte-se! Vamos jantar fora. Você está linda, e não tem de que se envergonhar. E outra coisa: quem faz o tempo sou eu; portanto, não pergunte mais que horas são. Entendeu?

Jeremy está tão perto de mim, que a pressão e a aspereza das palavras me deixam confusa e meio tonta. A presença e o cheiro forte dele tomam todos os espaços.

– Fui claro?

Ele enfatiza cada palavra. Estou tão surpresa com a mudança de clima, com o tom sombrio da voz dele, que não arrisco um comentário desafiador. A tensão é palpável. Considerando ser esta uma estratégia segura, fico calada, apesar de sentir a ereção dele cada vez mais intensa, contra a minha barriga. Jeremy me vira de costas para ele, me pressiona de propósito contra a parede e, imediatamente, dá uma palmada forte na minha bunda. Sinto a pele queimar. Estou horrorizada. Era a última coisa que eu poderia esperar. Ele me bateu! Vendada, no corredor do hotel. Jeremy torna a me virar de frente, imagino que para ver se minha expressão reflete o susto.

– Eu lhe fiz uma pergunta, Alexandra. Estamos conversados?

A voz dele é fria, metálica. Mal consigo responder um "Perfeitamente". Meu traseiro desprotegido queima contra a parede. Já nos conhecemos há muitos anos, mas ele nunca havia feito nada parecido.

– Ótimo. Vamos.

Jeremy me pega pelo cotovelo e me guia com firmeza pelo corredor. Os saltos dos sapatos vão tiquetaqueando pelo piso, para acompanhar o passo. Levar uma palmada não é uma situação familiar para mim. Não lembro uma só vez que tenha acontecido, nem na infância. Robert com certeza jamais faria isso. Ele sempre foi sério entre quatro paredes – meio burocrático, nunca criativo. Concluo que Jeremy é o oposto de Robert: inventivo e surpreendente. Como me faz falta essa imprevisibilidade... Mesmo agora, ofendida em um corredor de hotel, completamente à mercê de Jeremy, sinto como nunca a força da adrenalina. Estou viva, de verdade.

Ouço um "ding", a porta do elevador se abre e ele me conduz para dentro. Respiro fundo e rezo. "Por favor, Senhor, não nos deixe encontrar alguém conhecido. Por favor, por favor, por favor!" É só a porta se fechar, e Jeremy começa a acariciar minhas coxas, umedecendo ainda mais e tornando mais receptivo o espaço entre elas. Na verdade, a região começou a ficar assim no momento que sua mão ágil me deu a palmada. Trata-se de uma reação inesperada... Como posso estar ao mesmo tempo aborrecida e excitada? Tal como o médico reconhece todos os detalhes da anatomia do corpo humano, Jeremy sabe a localização de todos os meus pontos sensíveis, e não perde uma oportunidade de fazer do meu corpo um radar, testando e prestando atenção às respostas.

É uma sensação estranha, não saber quando o tesão vai surgir. O estímulo visual certamente exerce um papel importante. Mais estranho ainda é não ter certeza do que acontecerá em seguida. Em um momento, a frustração; no momento seguinte, basta um toque levíssimo, e o corpo responde proativamente, potencializando o gesto e pedindo mais. Qual é o mecanismo? O problema é que não sei se meu corpo me trai de propósito ou se conhece minha mente melhor do que eu poderia imaginar.

– Pare, Jeremy, por favor! Já é bastante difícil me concentrar no que acontece, e você ainda me distrai!

– A ideia é que, neste fim de semana, você não se concentre em nada, Alex.

– Mas isso não é possível!

Quando a porta do elevador se abre, e saímos, uma lufada de vento joga meus cabelos para trás. Alguém faz um cumprimento. Sinto o sangue subir, e com certeza estou corada.

– Dr. J, que prazer recebê-lo esta noite! Há quanto tempo!

Minhas pernas tremem, mas Jeremy me sustenta.

– É bom vê-lo novamente, Leo.

– Vou lhe mostrar a mesa.

Sou conduzida a uma cadeira estofada, onde Jeremy me acomoda. Preocupada com a falta da roupa de baixo, cruzo rapidamente as pernas, amaldiçoando Jeremy, por me expor à situação mais desconfortável da minha vida.

Afinal, quem é Leo, e que zum-zum de vozes é este que ouço em torno? Por causa da ansiedade diante do desconhecido, sinto minúsculas gotas de suor se formarem na testa. Mas por que estou tão nervosa? *Relaxe e aproveite,* digo para mim. *Impossível,* é a resposta.

– O que o doutor pretende beber esta noite?

– Traga dois martínis extrassecos. Mexidos, não batidos.

Como é possível? Ele pediu a bebida exatamente ao meu gosto, embora eu não toque em um martíni há mais de dez anos. Inacreditável.

Procuro manter a calma para, ao menos, tentar decifrar o que se passa. Mereço parabéns; afinal, consegui alguns momentos de autocontrole. O carpete é grosso, de boa qualidade, as vozes são muito baixas, e há música ambiente. Com a confirmação de que não estamos sozinhos, vou ficando mais apreensiva, até que a voz de Jeremy interrompe meus pensamentos.

– Gostou do pedido? Na Europa, era assim que você pedia o martíni.

Procuro imprimir o máximo de tranquilidade à voz, ao responder.

– O martíni é o menor dos problemas. Como você me traz a um lugar público? E se alguém nos reconhecer? Não posso acreditar que esteja me expondo assim. É um risco pessoal e profissional para nós dois. Completamente inaceitável.

A tensão parece um *tsunami* na minha corrente sanguínea. O coração atropela o próprio ritmo. A transpiração não consegue reduzir a temperatura corporal. Isto não é certo, ele foi longe demais. As palmas das mãos estão úmidas sobre o colo. Pela respiração curta e rápida, o diagnóstico é: iminência de um ataque de pânico. Jeremy toma as minhas mãos.

– Calma, está tudo bem. Não exagere.

Exagerar? Minha voz interior não quer acreditar. Quase perco o controle.

– Não está nada bem!

Só disfarço a revolta porque não sei quem está por perto. E faz diferença? *Faz, sim, droga,* eu mesma respondo. Jeremy sabe que vou tentar conter minhas emoções em público.

– Como me colocou nesta situação, Jeremy? Como pôde? Quem é esta gente?

Sinto-me vulnerável, sozinha e completamente descontrolada. O coquetel de emoções faz meu corpo tremer. Nem de longe eu imaginei que fosse tão difícil. Ao mesmo tempo, porém, estou desapontada por não ter sido capaz de agir com mais frieza. Mas quem consegue manter o sangue-frio, com uma maldita venda nos olhos? Sabe-se lá o que as pessoas pensam, ao ver uma mulher vendada discutindo com um dos médicos pesquisadores mais conceituados do país, ou talvez do mundo! Ou será que hoje o InterContinental promove a "Sexta-Feira da Venda"?

De repente, eu me encho de confiança. Concluo que estou no controle. Tenho pernas para andar, mãos para arrancar a venda e recuperar a visão, ainda que escurecida e borrada, e voz para dizer "Não!" – a única palavra que nunca fui capaz de dizer a Jeremy. Com sorte, posso até encontrar algum espectador não envolvido que me ajude a escapar desta situação humilhante. A ideia toma conta do meu corpo, e me sinto pronta para agir.

– Não posso continuar, Jeremy. Sei que você esperava que eu conseguisse, e eu tentei. Lamento ter prometido. Foi um erro idiota. É impossível administrar a situação.

Nesse momento, levanto a mão para arrancar a venda, livrando-me da submissão e do embaraço que ela acarreta. No entanto, mal encosto as pontas dos dedos no tecido, Jeremy se lança sobre o meu corpo, me faz sentar novamente e, de pé, prendendo as minhas pernas entre as dele, me força a colocar as mãos para trás. Chego a perder o fôlego. A temperatura entre nós sobe ainda mais quando ele me prende pelos pulsos. Sua presença física impede qualquer movimento.

– Vai continuar, sim. Você prometeu, concordou e ainda não teve tempo de se adaptar. Esse é o seu problema. Não precisa administrar nem controlar coisa alguma. Enquanto continuar tentando, vai se sentir assim. Falando claramente, faço qualquer coisa para garantir que você cumpra o que prometeu. Não vou deixar que nada atrapalhe, nem as suas inseguranças.

Jeremy fala em voz baixa, firme, inflexível. Sinto seus músculos prendendo minhas pernas e percebo que está cada vez mais excitado. Agora, quem está ficando excitada sou eu. Como ele consegue? Há quanto tempo sei que ele me quer? Desde sempre, acho. E eu o quero. Mas assim? E que história é essa de "inseguranças"?

Confusa, tento em vão me livrar.

– Você não vai a lugar algum. Passadas as 48 horas, vai poder tirar a venda. Não toque nela.

Há na voz de Jeremy uma visível determinação. O que aconteceu à coragem que experimentei momentos antes? Sem olhos para ver, sem pernas para andar, sem mãos para arrancar a venda. Ele me priva de todo e qualquer tipo de controle, e sua resposta física indica claramente como gosta disso. Eu também.

– Você com certeza adotou medidas rígidas para eu não escapar.

Mal posso me mover. Ainda assim, me pergunto por que me excito secretamente quando ele vai a tais extremos, e meu desejo aumenta segundo a segundo.

– Confie em mim, Alex, a festa ainda vai começar. Dê a si mesma a oportunidade de participar, e vai gostar muito, tenho certeza.

Quem ele pensa que é? Meu terapeuta? Concluo que não vale a pena lutar. A resistência parece intensificar a determinação de Jeremy, tanto psicológica quanto fisicamente. Ele me prende ainda com mais força, pelos pulsos e pelas coxas. Minha mente criativa começa a examinar as possibilidades. Como se adivinhasse o que penso, ele avisa:

– Não lute contra mim, AB. Vai sair perdendo.

Antes que eu responda, Jeremy cobre minha boca com a dele. Sua língua procura a minha e me chega à garganta. Ele me sufoca, me deixa sem ar. É uma força sensual que meu corpo não tem a menor vontade de rejeitar.

– Você é minha pelo fim de semana. Pare de lutar, de desperdiçar uma energia preciosa que pode ter um aproveitamento muito melhor. Pena termos companhia, senão juro que pegava você aqui mesmo, por baixo do vestido. Está absolutamente irresistível.

A voz de Jeremy vem carregada de segundas intenções.

Quase derreto. O calor na região da virilha me deixa sem fôlego e sem vergonha.

– Tão bonita e tão rebelde... – ele reflete.

Com um longo suspiro, segura meu rosto por alguns momentos. Sinto a força de sua ereção. Ele dá um longo suspiro. Aguardo ansiosamente o próximo movimento.

– Você não me deixa escolha. Leo, por favor, as algemas.

– Pois não, senhor, agora mesmo.

Jeremy puxa os meus ombros em direção ao corpo dele e ajeita os meus braços para trás. Leo, quem quer que seja essa pessoa, adapta aos meus pulsos e fecha em tempo recorde alguma coisa que me parecem algemas acolchoadas.

Aqui estou eu ofegante, muda e algemada. Jeremy ajeita a venda. O que está acontecendo? Não se trata apenas de uma brincadeira entre universitários. Ele disse que faria qualquer coisa para realizar o que pretende. Por quê? Meus pensamentos pulsam no ritmo do coração, tentando decifrar o que acontece. Sinto no ambiente uma energia muito intensa. Por que ele faz tanta questão? O que é que eu não sei?

– Tinha esquecido como você é teimosa. Que coisa!

O velho Jeremy está de volta, tendo uma conversa normal comigo. Inacreditável!

A emoção transparece na voz, quando respondo, com um risinho:

– Teimosa! Como pode...

– Fale baixo, por favor. Não vai conseguir comer se estiver amordaçada – ele diz calmamente.

– Você não ousaria...

Jeremy me interrompe novamente, desta vez falando baixinho, como se estivéssemos conspirando:

– Já cheguei até aqui, querida. Você sabe que eu ousaria, sim. Para ter mais liberdade, renda-se de uma vez.

O que ele quer dizer?

Eu me remexo no assento, tentando absorver melhor a realidade de ter as mãos presas atrás. Já experimentamos muita coisa em matéria de sexo, mas Jeremy nunca foi tão longe. Nunca houve esta urgência, este tom subjacente de irredutibilidade. Desta vez, realmente não entendo o que motiva a situação.

Se em um momento me encontro perto de Jeremy, em todos os sentidos, no momento seguinte me pergunto se sei quem ele é. Como foi que eu, uma mãe de família, me meti em uma situação destas? E se não tiver como sair? Ele está brincando? Está me testando? Experimentando meus limites? Se for isso, conseguiu. Eu me sinto confusa, em pânico e, por incrível que pareça, para minha frustração, extremamente excitada.

✳✳✳

– Não vamos desperdiçar os martínis.

Jeremy levanta meu queixo e me despeja com cuidado o líquido na boca. Permaneço calada. Não sei o que dizer, honestamente. Mal consigo me mexer. Depois do que aconteceu, tenho medo de contrariá-lo. Era isso mesmo que ele queria. Pareço um manequim, mas todas as células do meu corpo estão como que eletrificadas, em estado de alerta, à espera do próximo movimento. A situação é estranhamente estimulante. Sinto o olhar dele tentando invadir minha mente, e me esforço para acalmar a respiração, as emoções, os pensamentos... Não consigo. Outra porção de líquido me cai sobre a língua e escorre pela garganta. Não pedi, mas também não recuso. Estou congelada por um torturante, indefinível e excitante medo do desconhecido, embora me sinta completamente vulnerável, à mercê de Jeremy. Que opção tenho, a não ser aceitar temporariamente, sem protestos ou reclamações, esta sequência de eventos bizarros? No entanto, sou obrigada a reconhecer que nunca me senti tão especial, tão acarinhada.

Imagino que os martínis tenham terminado, porque Jeremy me ajuda a ficar de pé. Ele me abraça pela cintura, por baixo dos meus pulsos algemados, e caminhamos em silêncio. De repente, sou erguida do chão e carregada no colo escada acima. O fato de ser levada com tanta facilidade faz com que me sinta muito pequena, ainda mais frágil e dependente. Já perdi as defesas físicas, e ele está vencendo sistematicamente minhas defesas emocionais. Nunca me entreguei assim. Costumo ser autossuficiente, e essa entrega me deixa literalmente fraca.

Ouço uma porta se abrir e sinto uma lufada de ar fresco. Jeremy me deposita diretamente em uma cadeira. O ruído da cidade lá embaixo corta o ar quente e úmido, e chega até nós. Imagino que a noite esteja tão bonita quanto na véspera. Como é bom escapar da energia carregada de tensão que havia no quarto! Meu corpo estremece de alívio pela mudança de ambiente e pela amplidão em volta.

– Está com frio?

Jeremy com certeza estava me observando. Instintivamente faço que não, embora pretendesse não responder. Continuo sentada, com as costas bem esticadas, e ele continua tentando decifrar meus sentimentos e reações.

– Quer ouvir música ou prefere o silêncio?

Ele sempre gostou de perguntas cujas respostas não se restringissem a sim ou não. Eu sufoco um suspiro, mas não respondo. O jogo é dele; ele fez a regras. Então, que decida.

– Vou providenciar a música.

Uma suave peça de *jazz* começa imediatamente, e ao vivo! Inclino a cabeça na direção do som. A música me parece vagamente familiar. Percebo também um cheiro agradável, que procuro identificar. Há coentro fresco, pimenta, gengibre e, talvez, óleo de gergelim. Com certeza, Jeremy cuidou para que eu absorvesse o aroma do meu prato tailandês favorito. Ele me leva uma porção aos lábios. Que continue com suas brincadeiras idiotas!

– Você está tão bonita, sentada aqui, tão vulnerável e ao mesmo tempo tão teimosa... Que noite espetacular! A lua cheia sobe a leste, magnífica. Não há uma só nuvem no céu. As luzes da cidade brilham a toda volta. Somos os únicos hóspedes na cobertura do hotel. Não se preocupe, portanto, que ninguém vai nos reconhecer. A mesa está arrumada de maneira simples, mas sofisticada, tal como você. Pedi a sua comida preferida, o seu vinho preferido, a sua música preferida. Finalmente podemos usufruir isso tudo com gosto, sem poupar gastos. Há muito eu esperava por este momento com você, mas a realidade é ainda melhor. Tenho você todinha para mim. Meu coração quase derrete, ao vê-la quieta, algemada e cega, embora tão decidida. Eu poderia livrá-la das algemas, mas me permito ser egoísta e saborear o momento mais um pouco.

Continuo sem fala. Ao som da música, meu corpo responde às palavras dele exatamente como responderia ao toque.

– Quer dançar?

A pergunta é apenas retórica, já que Jeremy me põe em pé e troca a posição das algemas, prendendo meus braços em torno de seu pescoço. Parece que vou ter de dançar. Será que ele pensa mesmo que eu fugiria da cobertura de um prédio alto, sem enxergar? A ideia se insinua em minha mente... Meu cérebro finalmente reconhece a frase musical que se repete desde a nossa chegada. Jeremy começa a mexer os quadris, e não tenho alternativa, a não ser acompanhar o ritmo, embora desajeitadamente. Ele então me puxa bem para perto, e conseguimos alguma sincronicidade. Com a cabeça sobre o ombro de Jeremy, sinto a maciez do tecido da camisa e, por baixo, o calor do peito dele. A escolha da música me intriga. O ritmo é irresistível. Ele sabe que eu gosto.

O som do saxofone, da guitarra, da bateria e da percussão afasta a ansiedade, e deslizo sem esforço nos braços de Jeremy, que me guia em segurança, com um toque perfeito: nem demais nem de menos. Mais uma vez, é impossível ignorar a química sexual que une nossos corpos.

Dançamos, comemos, bebemos, conversamos, beijamos, rimos.

Estou cega, mas não me sinto presa.

Consigo guardar em um canto bem escondido da mente os medos que sentia um pouco antes. Talvez esta noite signifique tanto para Jeremy quanto para mim, não sei. A balança finalmente pende para um lado, e posso dizer que estou aqui mais por escolha do que à força. A sobremesa, que ele me serve em seguida, é uma verdadeira orgia de sabores: *ganache* com um toque de alguma coisa – laranja, talvez, ou alguma outra fruta cítrica – em massa amanteigada crocante, acompanhado de um vinho encorpado que deixa um gosto forte na boca. Eu me sinto flutuar.

– Alex, você cantaria para mim, enquanto a banda está aí?

Não posso deixar de sorrir.

– Há anos que não canto!

– Por favor, estamos só nós. Qualquer música. Tenho uma guitarra para você.

Jeremy adorava quando eu e minha amiga Amy improvisávamos alguma coisa, em tardes chuvosas de sábado. De início, eu ficava sem graça, mas acabamos por nos acostumar à presença dele nessas ocasiões. Já consumi uma quantidade considerável de bebida desde que cheguei, mas surpreendentemente estou apenas um pouco alta. Ou calculei mal o tempo, e já se passaram muitas horas, ou a emoção e o nervosismo causaram a evaporação do álcool que eu tinha no corpo. De repente, me agrada a ideia de fazer alguma coisa que não faço há muito tempo.

– E por que não? Mas uma só.

Jeremy parece surpreso e animado, ao ver que concordo tão rapidamente. Prefiro assim à atmosfera de antagonismo. Penso nas músicas que acabamos de dançar. Afinal, que tipo de relacionamento é o nosso? O que significa? Eu e Amy cantávamos uma música que ele gostava de acompanhar, improvisando a percussão em tampas de panelas. Sempre houve algo de especial na nossa amizade. Jeremy me entrega a guitarra, e peço que me leve para perto da banda.

– Vou esperar aqui na mesa. Capriche! – ele diz, com um beijo no meu rosto.

Demoro um pouco a me familiarizar com a guitarra e encontrar o tom certo. Meus dedos perderam a prática e estranham as cordas, quando percorro o braço do instrumento. Tenho de confiar apenas no tato, já que estou sem a visão. Ainda bem que sei a melodia de cor e conheço a posição das notas. Lá vou eu...

Quando termino a música e recebo os aplausos da banda, uma lágrima escorre do meu olho esquerdo. Incrível, como consegui cantar e tocar – fazer uma coisa que pensava ter esquecido! E como gostei! Estou feliz, quando agradeço à banda pela oportunidade e aceito a ajuda dos músicos para ajeitar a guitarra no chão. Não posso deixar de pensar que jamais faria isso, caso pudesse enxergar... Assim que me levanto, recebo um abraço apertado de Jeremy.

– Fantástico! Você foi maravilhosa!

E continua, depois de uma breve pausa:

– Isso que vejo no seu rosto é emoção, dra. Blake?

– Acho que recuperei a voz.

Não sei por que falo assim. Outra lágrima de emoção me escorre pelo rosto. Não entendo bem meus sentimentos, mas parece que a música me faz lembrar alguma coisa esquecida por muitos anos. Certa vez, li que é importante descobrir a origem das lágrimas, porque elas têm ligação direta com o coração.

Ele acaba de me retirar mais uma camada. Como consegue?

Jeremy se curva e me beija delicada e carinhosamente. A sensação é tão maravilhosa, que vai ficar gravada em minha memória.

***

Nossa noite na cobertura termina quando ouço os músicos se despedirem. Tenho a impressão de ter embarcado em uma montanha-russa no momento em que cheguei ao hotel. Nunca havia experimentado tantas emoções em tão pouco tempo. Entregando-me à brisa morna e suave, relaxo nos braços de Jeremy. Para ser honesta, cansei de lutar, e estou satisfeita com a proximidade dele. Talvez eu deva simplesmente deixar as coisas seguirem seu curso, como ele quer. O que de pior poderia acontecer? Ele jamais colocaria em risco nossa reputação profissional, que considera da máxima importância. Além disso, quero estar com ele. A mãe, a mulher, a esposa, a acadêmica – todas as minhas facetas o desejam, sempre desejaram. Meu corpo não precisa nem um pouco de racionalização. Quero desesperadamente prolongar estes momentos.

Estou bem mais calma. A música, o canto, a dança, o jantar, os beijos e talvez até a cegueira – embora eu não ouse admitir – são simplesmente sedutores. Sinto uma energia afetuosa, alegre, uma vivacidade essencial que não me lembro de ter experimentado. Trata-se de uma sensação nova que absorvo avidamente.

Jeremy encosta o polegar no meu lábio inferior e pergunta, em tom carinhoso:

– Em que está pensando?

– Estou pensando que quero você agora – respondo diretamente.

Ele ri.

– É mesmo? E acha que pode?

– Acho que sim, agora que estou com as mãos livres.

Tateando, desabotoo o cinto, abro a braguilha e deixo a calça escorregar pela bunda redonda e firme dele.

– Precisa de ajuda?

– Posso não enxergar, Jeremy, mas sei muito bem o que estou procurando.

Tenho certeza de que ele sorri, enquanto sinto crescer o volume dentro da cueca. Resolvo brincar um pouco, antes de remover o obstáculo. Acaricio devagar o pênis dele. Meus dedos estão loucos para apertar seus testículos. Ele geme no ritmo do meu toque.

— Ainda gosta, depois de tantos anos? — pergunto.

— Certas coisas nunca mudam.

De joelhos, brinco com as bolas, enquanto seguro firme a base do pênis e passo delicadamente a língua na ponta, indo e vindo, até recolher uma gota do líquido de gosto forte que escapa. Faço uma pausa. Até então, ele acariciava devagar os meus cabelos. Agora, porém, segura minha cabeça com firmeza. Para manter o equilíbrio? Por desejo? Eu me sustento agarrada a sua bunda firme, musculosa, e continuo os movimentos, a cada vez engolindo mais um pedacinho dele. Minha língua enlouquece. Eu recebo o pênis liso e duro de Jeremy, que me enche a boca e chega ao fundo da garganta.

Adoro fazer isto, e não posso negar o fogo que arde entre as minhas pernas. Continuo a chupar, agora em movimentos longos, fortes e profundos. Jeremy geme alto, e sei que está quase gozando. Faço uma breve pausa, para brincar com a necessidade que ele tem de mim. Em seguida, porém, enfio o pênis todo na boca, envolvendo a base com os lábios. Sinto as contrações que precedem a explosão e, no último segundo, me afasto um pouco, sem largar os testículos. Ao atingir o clímax, ele se contorce, e o líquido deve ter passado sobre o meu ombro, caindo sabe-se lá onde. Continuo de joelhos, à espera de que Jeremy se recupere e volte à realidade. Então, dou uma lambida na pontinha, recolhendo algum resíduo, e me levanto. Ele respira pesadamente, de maneira ainda irregular.

— Por que sempre sai no último instante? Queria que tivesse engolido.

— Você sabe que eu não gosto.

— Já experimentou?

— Não exatamente. Nem pretendo.

— Então não é só comigo?

— Não, Jeremy, não é só com você. É uma coisa que eu simplesmente não faço.

— Mas é inacreditável, já que faz tantas outras coisas. Eu adoraria.

Eis uma oportunidade. Estaria ele disposto a negociar?

– Se eu engolir, você me devolve a visão?

– Por mais que a ideia seja tentadora... Digamos que estou adorando você assim.

– Bem, temos um impasse – concluo.

Ele me beija a boca longamente, enquanto sua mão tateia por baixo do vestido, até encontrar os pequenos lábios. Com um suspiro, passo os braços pelo pescoço de Jeremy, resistindo à tentação de unir minha mão à dele.

Chego a ficar de pernas bambas.

– Um dia você vai fazer tudo – ele afirma, confiante.

– Vamos ver – respondo com um suspiro.

– Vamos, mesmo.

Ele ri, interrompe as carícias e, mais uma vez, me pega no colo, para voltarmos ao quarto.

Antes que eu me dê conta, Jeremy arranca o meu vestido, e seus dedos retomam a exploração a que se dedicavam quando estávamos na cobertura, só que mais avidamente, com mais habilidade e precisão. Eu me entrego por completo, e meus gemidos ecoam no silêncio do quarto. Tenho o cérebro exausto, depois de passar as últimas horas tentando entender a realidade. Ao mesmo tempo, o corpo aceita com gosto a experiência física. Assim, adormeço aninhada nos braços de Jeremy. Um sono profundo, calmo e estranhamente gratificante.

***

Acordo sentindo um incômodo nos pés. Parece uma espécie de coceira de que não consigo me livrar. O que será? Alguém? Alguma coisa? Mudo de posição, mas o toque me persegue.

Droga, a coisa continua... Um dedo?

Não, menos duro.

Um pincel? Não.

Uma pena? Possivelmente.

Esses pensamentos tolos me perturbam o sono. Ainda está escuro, não preciso acordar. Dou um chute, e parece que funciona. Volto à maciez da cama, ao lençol confortável e ao travesseiro de penas. Bem diferentes dos meus. A ideia me faz pensar no lugar onde estou, e lembranças estranhas me vêm à mente. Não, deve ter sido um sonho louco. Estico o braço, para ver se há alguém ao meu lado. Nada. Ninguém. Por quantas horas dormi?

De repente, lembro quem sou e onde estou, mas esqueço momentaneamente a situação, e forço as pálpebras, para abrir os olhos. A realidade, porém, me atinge como um choque, e fico em dúvida entre tocar ou não a venda; na noite passada, tentei fazer isso, mas fui impedida e sofri as consequências. Não se trata de sonho. Pelo menos para mim, haverá escuridão noite e dia.

O incômodo recomeça. Desta vez passa pelo tornozelo e sobe pela perna, chegando à parte de trás do joelho, um local sensível demais para mim, onde não tolero cócegas. Inteiramente desperta, eu me sento.

– Olá!

É a voz de Jeremy. Não foi sonho, definitivamente. O nervosismo me faz rir.

– Olá. Por quanto tempo eu dormi?

– Mal acorda e já começa a perguntar! Seja boazinha, Alex. Sem perguntas! Deite-se novamente e fique quieta.

Como não quero discutir, obedeço. Sinto a coberta ser arrancada, expondo minha nudez. As penas continuam a jornada pelo meu corpo. Eu me contorço, quando atravessam do umbigo aos mamilos. Nem preciso tocá-los, para saber que respondem instantaneamente ao toque.

– Com que facilidade sou traída pelo corpo... – sussurro quase para mim mesma.

– Sempre. Quando vai começar a ouvir o que ele diz?

Boa pergunta.

– Levante os braços.

Faço o que ele manda. É mais fácil obedecer de imediato. As penas brincam com meus braços, o rosto, o pescoço. Estar vendada e nua, sem saber onde vou receber a carícia de uma pena, é uma experiência inteiramente nova. Tenho a impressão de que asas delicadas de borboletas mal tocam minha pele, provocando arrepios pelo corpo inteiro.

– Separe as pernas, por favor.

Apesar da delicadeza na voz de Jeremy, não sei se por causa dos muitos anos de comportamento sexual defensivo ou protetor, junto as pernas com firmeza e cubro o púbis com as mãos.

– Interessante... – Jeremy murmura.

As penas interrompem a excursão, e nada mais é dito. Sinto que ele espera a minha reação. Bem devagar, devolvo os braços à antiga posição, acima da cabeça.

Silêncio. Tenho medo de que, se eu separar as pernas, Jeremy perceba a intensidade da pulsação da minha vulva.

– Vou pedir outra vez: separe as pernas, por favor.

Sem graça, mas terrivelmente excitada, dou um suspiro e vou abrindo as pernas.

– Mais um pouco.

Pelo tom de voz, ele está inflexível. Dobro os joelhos e abro mais as pernas. A excitação aumenta, prevendo o que pode acontecer. Tento ficar imóvel, mas é difícil. Meu corpo persegue a tarefa impossível de adivinhar onde vai receber o próximo toque. Com muita dificuldade, consigo manter razoavelmente a posição. O roçar é insistente e incômodo, embora muito leve, quase uma carícia. O corpo pede mais, anseia pelo toque de Jeremy. Desde que despertei, nossos corpos não se tocaram uma só vez. Estou louca por ele. Minha respiração fica mais rápida. Por quanto tempo isso vai continuar? Não aguento! Preciso de alguma coisa, qualquer coisa! Acabo levando as mãos aos seios. Minhas costas se curvam. Quero Jeremy dentro de mim, quero contato físico. Ele tem mais paciência do que meu corpo pode suportar, e sabe disso. Sempre gostou de forçar ao máximo meus limites.

– Jeremy...

Estico o braço, tentando alcançá-lo.

– Paciência, querida, paciência... Enquanto não ficar deitada completamente imóvel, fazendo exatamente o que eu peço, isto vai continuar. Quanto mais obediente, maior a recompensa.

– Oh, céus...

Sei que ele fala sério. Sua habilidade em provocar, atiçar e atormentar cada centímetro do meu corpo resulta de muitas experiências ao longo dos anos. Suspiro, frustrada. É tarde demais para dizer não, e Jeremy sabe bem como preciso de alívio. Reúno todo o meu zen interior, para permanecer deitada, imóvel, na posição que ele quer, e suportar, sem reclamações nem protestos, a continuação do tormento. Procuro fazer uma contagem regressiva, começando de cem, mas perco a concentração e desisto ao chegar a 89.

Estremeço.

Jeremy para.

Fico imóvel.

Ele recomeça a manejar a pena. Louca por seu toque, eu me esforço ao máximo para manter a posição.

Ele é incansável, disciplinado e paciente.

Eu não.

Quando já estou saturada de frustração e desejo, Jeremy se joga sobre mim, enfiando o pênis na minha vagina. Deixo escapar um grito. Tenho as pernas abertas, e ele penetra bem fundo, sem poupar energia, enquanto prende meus braços acima da cabeça. Ele repete e repete o movimento, com força e rapidamente. Era disso mesmo que eu precisava. Minhas costas se curvam, lançando a cabeça para trás. O fim do tormento me tira o fôlego. Quando Jeremy explode dentro de mim, a vagina abundantemente lubrificada absorve tudo.

A paciência dele acabou. Ainda bem!

Jeremy relaxa sobre o meu corpo, que é comprimido contra o colchão. Estamos os dois ofegantes e mudos. Volto a sentir um formigamento, em especial no baixo ventre. A sensação começou durante o banho e, pelo jeito, vai continuar comigo por algum tempo. Ele se aninha junto ao meu pescoço.

– Incrível... Nunca fui acordada assim...

– Nem eu... – ele concorda, enquanto beija, praticamente devora meu pescoço.

– Nunca mais me faça esperar tanto. Você quase me enlouqueceu.

Ele continua a explorar meu pescoço com os lábios e a língua, e afinal responde com uma verdade terrível:

– Eu jamais prometeria isso, querida.

Deixo escapar um suspiro. Mais um.

– Você deve estar faminta. Vamos comer!

Posso dizer com honestidade que nunca me senti tão viva. Tesão parecido só experimentei quando tinha 20 e poucos anos, e agora foi muito melhor. Não sei como esse sentimento se manteve entre nós. Os lábios de cima sorriem; os de baixo continuam excitados. Sinto a energia sexual pulsar nas veias. É uma sensação estranha, estar satisfeita e querer mais. O que aconteceu? A falta de estímulos visuais potencializa os outros sentidos ou tudo resulta da montanha-russa emocional que Jeremy cuidadosamente montou desde a minha chegada? É como se ele despertasse apetites sexuais adormecidos durante anos. Concluo que deve ter havido uma combinação de vários fatores, já que minha capacidade analítica, a esta altura, foi extinta. Não posso deixar também de pensar na ironia que existe no fato de minhas tentativas de conexão com a mente analítica, para fins de pesquisa, serem continuamente anuladas, uma após a outra, pelas sensações criadas por Jeremy.

Ele pede ao serviço de quarto quase tudo que lhe vem à cabeça. Conversamos, rimos e nos acariciamos. Já nem acho tão estranho usar uma venda. A voz dele é tão familiar e tranquilizadora, que me sinto quase completamente à vontade. A comida chega, e afinal comemos. Estou faminta.

– Ainda com fome? – Jeremy pergunta, enquanto põe mais um morango na minha boca.

– Honestamente, não consigo parar. Estes morangos viciam. Existe alguma ligação entre morangos e hotéis cinco estrelas. São perfeitos, parecem projetados por *designers*.

– Só sobrou um. Coma.

Jeremy coloca a fruta na minha boca, mas tira imediatamente.

– Pensando bem, você já consumiu a sua cota. Este é meu.

Ele abre o meu *robe*, e sinto o morango deslizar em volta dos meus mamilos, descer, passando pelo umbigo, e chegar à vulva.

– Acho que este quer brincar de esconde-esconde.

Sem ligar para os meus protestos, a língua de Jeremy começa a procurar.

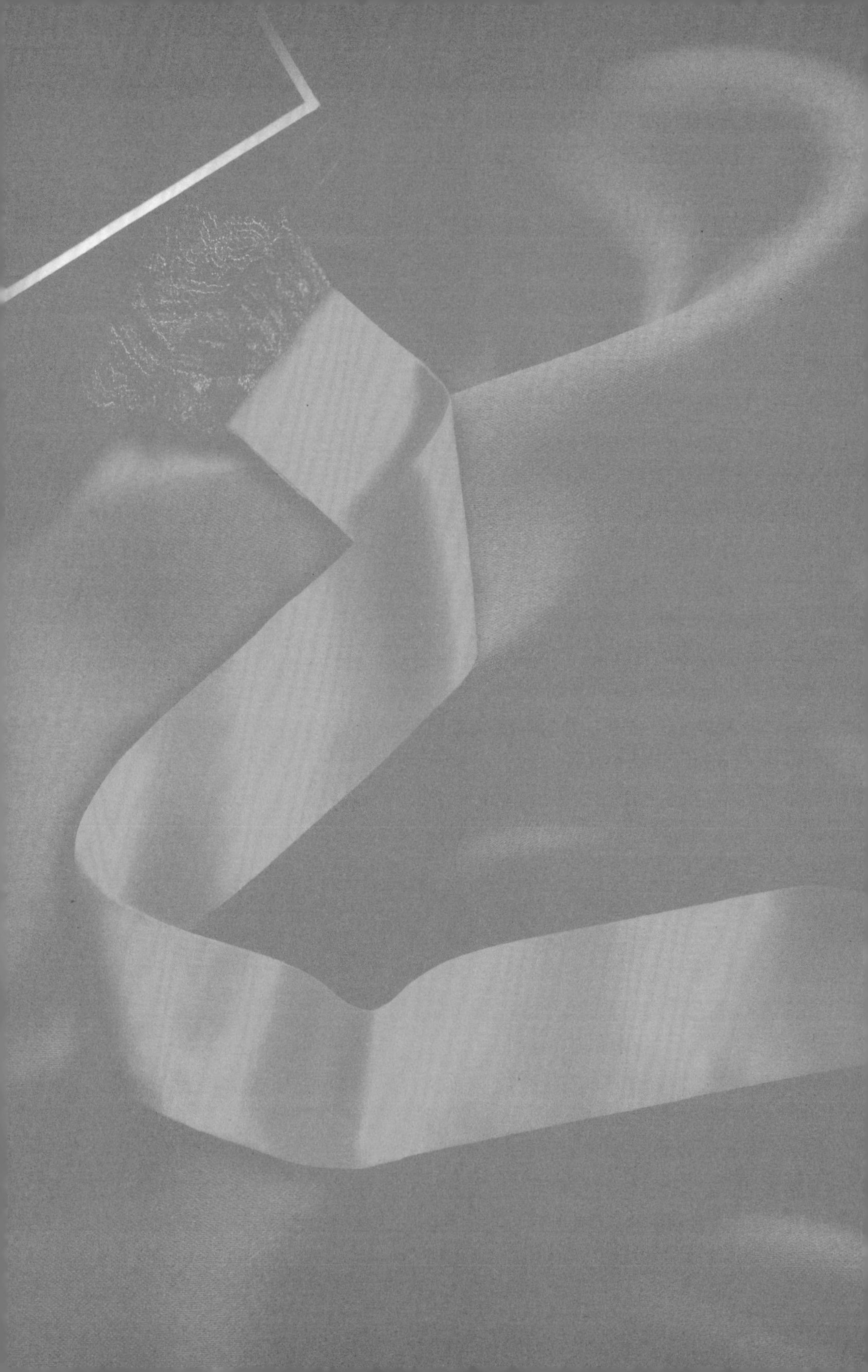

Parte 4

"Não se mede a vida pelo número de vezes que respiramos, mas pelos momentos que nos deixam com a respiração suspensa."

– Anônimo

— Agora, você vai se vestir. Temos um dia cheio pela frente.
— Dia cheio? Não vamos ficar o dia inteiro por aqui? Prefiro passar as próximas horas vestida de roupão. Por isso não atendo à ordem de Jeremy.
— Outra pergunta – ele fala monotonamente.
"De novo a história das perguntas..." – eu penso. O tom da voz dele me deixa apreensiva. Não entendo. O que Jeremy espera? Que eu fique muda? Claro que eu tenho perguntas! Que mulher, sobre a face da Terra, não teria, mesmo em circunstâncias normais? E, especialmente, nesta situação? Preferia que ele reclamasse menos...
No entanto, tendo aprendido a lição da noite anterior – se é que era noite, realmente – experimento outra tática, em vez de verbalizar esses pensamentos.
— Então, o que eu vou vestir?
— Você não se controla, não é?
— O quê?
— As perguntas!
Jeremy parece exasperado.
— Mas eu não fiz...
Começo a argumentar, indignada, mas caio em mim.
— Ah, fiz, sim. Custo a aprender, não é?
Tentando minimizar o erro, estico o braço, em busca de um gesto de reconciliação, mas o espaço à minha volta está decididamente vazio.
— Você vai aprender, Alex. Só não sei se vai gostar da lição.
A voz de Jeremy vem de algum lugar no cômodo.
— O que isso...
As palavras me escapam, mas nem termino o que ia dizer. Embora

não entenda o comentário enigmático dele, prefiro não arriscar outra pergunta.

– Está bem, vamos nos vestir – falo com a entonação mais casual possível.

– Melhor assim.

Ele responde calmamente e me dá um beijo nos lábios. Está feliz outra vez. Ainda bem.

No entanto, tenho a impressão de estar sendo adestrada, como um cachorrinho.

– As meninas já vêm ajudar você a se vestir.

A surpresa causada por essa informação se transforma em susto, quando ouço uma batida na porta.

– Meninas? Que meninas?

Minha voz sai estranhamente aguda.

– Desculpe, desculpe – eu me corrijo de imediato, antes que ele reclame.

– Relaxe, eu atendo.

Não tenho escolha. Vozes femininas se apresentam a Jeremy. Cindy... Candy... Ele não pode estar fazendo isso...

– Bom vocês terem chegado. Venham, ela está aqui.

Assustada, procuro a borda da cama e acabo caindo esparramada no chão. Jeremy vem correndo e pergunta se estou bem. Eu me sinto uma perfeita idiota. Queria virar uma bolinha e desaparecer. Como ele pôde? Com o coração aos pulos, não sei o que pensar, dizer ou fazer. Ele sempre teve a fantasia de transar com duas garotas... Será? Com a ajuda dele, eu me ponho de pé.

– Tem certeza de que está tudo bem? Parece pálida.

Pelo modo como me sinto, devo estar muito pálida, mesmo. Não consigo responder.

– As meninas vieram ajudar você a se vestir para a nossa grande aventura! – ele exclama, entusiasmado.

– Não preciso de mais aventuras, Jeremy. Nem quero, pelo resto da vida.

Falo asperamente, mas em voz baixa, porque não sei a que distância estão "as meninas". Ele me leva para o banheiro. Está louco?

– Não se preocupe, não é o que você está pensando. Elas só vão ajudar, prometo.

Jeremy se livra de mim, e cada uma me pega por uma das mãos. Começo a tremer.

– Não, por favor. Não preciso de ajuda. Eu me ajeito sozinha. Jeremy?

A porta se fecha. Em pânico, sou deixada aos cuidados de duas moças de quem acredito saber apenas os nomes de guerra. Elas veem o meu rosto, mas não vejo o rosto delas. Sinto dedos de unhas compridas me tirarem delicadamente o roupão. Tento resistir, mas não consigo. Então, resolvo puxar conversa.

– Honestamente, está tudo bem.

Elas continuam a tarefa e, para minha surpresa, retiram a venda. Agora, sim, estou inteiramente nua. Uso os braços para proteger o corpo. Sou levada para o chuveiro, onde a água cai com força sobre a minha pele arrepiada. Ao ter os cabelos lavados e delicadamente massageados, alcanço um estado de relaxamento que não julgava possível. Os dedos de unhas compridas se mostram aliados, ao ensaboar meu corpo com habilidade. Quando quatro mãos trabalham o seu corpo, é melhor atrapalhar ou colaborar? Eu prefiro a última opção.

As moças usam produtos de ótima qualidade e cheiro delicioso. Depois de cuidadosamente enxaguada, sinto a pele limpa e macia. Sem uma só palavra, elas me conduzem para fora do boxe e enxugam cada centímetro do meu corpo com toalhas aveludadas. As quatro mãos deslizam pelos braços, pernas e costas, e massageiam os espaços entre os dedos dos pés, o que se reflete em regiões menos óbvias do corpo. Eu não sabia que os dedos dos pés têm esse efeito. Terminada a tarefa, elas me vestem outro roupão. Não contenho um suspiro de alívio. Sinto-me bem cuidada, revigorada, tão cheirosa, que pareço saída de um vidro de Coco Mademoiselle, de Chanel. Se estivesse sozinha, eu me daria um abraço. Depois de secos, meus cabelos são presos em uma trança.

Tento abrir os olhos, mas as pálpebras ainda pesam demais. Com ou sem venda, a escuridão continua, até o próximo imprevisto.

Quando chego ao *closet*, percebo que as moças pegam em peças de couro. Elas me ajudam a vestir e fechar um macacão, e a calçar botas de cano alto e luvas. Tudo se ajusta perfeitamente. Surpresa! Estou envolvida pelo cheiro e pelo toque do couro. Grandes óculos de sol completam o *look*, impedindo que qualquer sensação luminosa me chegue aos olhos. O bom e velho Jeremy não deixa nada ao acaso.

De certa maneira, é melhor não correr o risco de ver se estou ridícula. Não faço ideia do motivo da produção. Talvez Jeremy tenha alguma fantasia de que eu não saiba. São tantos os metais e zíperes na roupa, que chego a tilintar, a qualquer movimento. Imagino que o couro seja preto, e eu esteja meio *punk*. Ficaria furiosa, se fosse de outra cor... um terrível rosa-shocking, por exemplo! Embora me sinta forte e recuperada do pescoço para baixo, do queixo para cima me sinto completamente vulnerável. Não sei por que estou vestida assim, nem me passava pela cabeça a perspectiva de sair do hotel. Mas, depois de tantas suposições incorretas, por que eu acertaria?

– Uau, está poderosa, Alexa. Parece uma motoqueira radical! Se eu não a conhecesse, ficaria intimidado!

– E se eu não o conhecesse, Jeremy, não estaria vestida deste jeito, em primeiro lugar – respondo, com as mãos firmemente plantadas nos quadris.

– Observação pertinente – ele diz, com uma risada. – Observação pertinente.

Secretamente, adoro a ideia de parecer "poderosa", e assumo com gosto o papel, embora cega como um morcego.

– Vamos lá, motoqueira. Não há tempo a perder.

Com uma pegada no meu traseiro revestido de couro, Jeremy me faz passar pela porta, a caminho do elevador. Será tudo brincadeira? De todo modo, estou me divertindo e, para retribuir o gesto, pego o traseiro dele. Jeremy também veste roupa de couro.

– Devemos estar duas figuras.

– Estamos, mesmo – ele concorda, enquanto o elevador desce.

***

Pelo tempo da descida, imagino que tenhamos chegado ao *lobby* ou ao estacionamento do hotel. Como sei que estamos entrando no "mundo real", eu me aproximo de Jeremy. As inseguranças me assaltam. Ele me deixa perto de uma parede, dizendo:

– Não se mova nem um milímetro, querida. Fique onde está, que ela já vem aí.

– Ela?

Em um milésimo de segundo, a insegurança se transforma em medo. Sentindo-me abandonada, busco apoio na parede. A partida de um motor me causa um sobressalto, e os vapores do combustível invadem minhas narinas. O som e o cheiro parecem bem próximos, quando Jeremy me leva em direção ao ruído monstruoso.

– Já andou de motocicleta? – ele pergunta, enquanto me ajuda a passar a perna sobre a fera pulsante.

– Só em uma motocicleta de trilha, em uma fazenda, quando era garota – respondo, nervosa.

– Segure-se bem, *baby,* porque vai começar uma viagem infernal!

Jeremy parece o jovem que ganhou um carro e vai dirigir pela primeira vez.

– Mas eu não enxergo!

Ele encaixa o capacete na minha cabeça e verifica se os óculos estão bem posicionados.

– Quem precisa enxergar sou eu, e não você!

O motor ruge sob mim. Jeremy me faz passar os braços pela cintura dele e juntar as mãos na frente, e avisa:

– Só precisa se segurar!

– Você está habilitado a dirigir esta coisa?

– Não precisa gritar. Agora que colocou o capacete, eu ouço você.

Realmente, a voz dele vem pelo capacete e me chega direto aos ouvidos. Ele ignora minha pergunta. *Epa!* Fiz outra pergunta. Espero que ele não tenha notado.

O ruído da minha respiração obviamente chega a ele pelo microfone do capacete.

– Segure-se, querida, e procure acalmar um pouco a respiração.

– Falar é fácil!

Quando a fera salta para a frente, quase caio para trás. Na primeira curva fechada, eu me agarro ainda mais fortemente a Jeremy. Pelo visto, o fim de semana ainda guarda fortes emoções.

Aproveito uma parada em ponto morto para me ajeitar no assento, à espera das próximas manobras. Como Jeremy se mantém calado, presumo que esteja atento ao trânsito, o que pelo menos me tranquiliza um pouco. Sobre a moto, não me sinto tão deslocada vestindo roupa de couro. E, felizmente, estou livre da venda. Quando atingimos uma velocidade constante, a viagem fica bem mais confortável, sem os trancos e os sobressaltos do trecho anterior.

– Tudo bem aí atrás?

Somente quando Jeremy se remexe no assento, percebo que mal consegue respirar, de tanto que eu o aperto.

– AB?

Não estou disposta a afrouxar o abraço, para responder. Tenho as pernas grudadas à motocicleta, e a parte superior do corpo, às costas de Jeremy. Não sobra espaço algum entre nós. Exatamente quando me preparo para dizer que vai tudo bem, a moto desvia para a direita e, em seguida, volta à esquerda. Ele deve estar fazendo uma ultrapassagem.

– Alexa, está me ouvindo?

É a voz dele dentro do capacete, de novo.

– Sim, tudo bem. Quero me concentrar.

A motocicleta aumenta a velocidade, e sinto dificuldade em falar. Seria mais apropriado acrescentar "em ficar viva".

– Com medo?

As perguntas continuam a chegar ao espaço interno do capacete.

– Está pensando o quê? Nem sabia que você pilota motocicleta!

– Piloto, sim, há anos. Finalmente pude trazer você para dar uma volta.

– Eu preferia ver o que se passa. Tenha cuidado, Jeremy. Preciso muito sair disto viva. Estou nas suas mãos.

– É mesmo, Alexa. Finalmente você começa a entender isso. Agora, relaxe e fique quieta. Já pegamos a estrada.

– Suponho que não vai me informar o nome da estrada.

– Claro que não. Estragaria a brincadeira.

Com isso, ele acelera e deixa que "ela" siga pela estrada em alta velocidade. Fico sem fôlego.

Toda de preto, na garupa de uma moto barulhenta. Quem diria? Nem em um milhão de anos! Depois de relaxar – pelo menos um pouco – tenho de admitir que a sensação é muito boa. O corpo de Jeremy, à minha frente, serve como proteção contra a força do vento, e me permite apreciar a alegria e a liberdade proporcionadas pelo passeio. E se as crianças me vissem agora? Não me reconheceriam, com certeza. Jordan custaria a acreditar, mas me acharia a mãe mais legal do mundo. Ia tirar uma foto, para mostrar à professora e aos colegas, na "hora das novidades". No entanto, ficaria mais feliz se eu mesma pilotasse. Elizabeth provavelmente se preocuparia com a minha segurança e perguntaria se tive medo. No que se refere a papéis e valores assumidos, quando se trata de avaliar os riscos de determinada situação não posso deixar de pensar se as diferenças entre os sexos podem ser previstas desde o nascimento. Nunca cheguei a uma conclusão quanto ao nível de influência da natureza e da criação, assunto este que sempre rende discussões interessantes. E as crianças no acampamento? Tomara que estejam se divertindo.

Não sei se vamos a algum lugar ou se o passeio em si é o objetivo. Jeremy com certeza tem tudo planejado para as 48 horas de convivência, e está cumprindo a promessa de não desperdiçar um minuto sequer. Assim, me aninho nas costas dele e descanso a cabeça em seu ombro. O ritmo do motor, entre as minhas pernas, cria uma vibração suave, constante e agradável. Meus quatro sentidos absorvem por completo a experiência fantástica. Encantada, aperto um pouco mais o abraço.

— Jeremy, é realmente incrível. Nem em sonhos eu me via em uma aventura assim, e estou gostando demais!

Ele dá uns tapinhas delicados nas minhas mãos, para indicar que me ouviu, mas fico imediatamente petrificada pelo medo.

— Por favor, por favor, segure o guidão com as duas mãos! Não preciso ficar mais assustada do que já estou!

Ele ri, e volta a pilotar com as duas mãos.

— Tem razão.

O vento, a velocidade, o motor, a proximidade com Jeremy... Tudo parece extraordinário. Até a escuridão é excitante, de um modo estranho, surreal. Eu me entrego ao prazer do passeio, sem saber aonde vou.

Depois de algum tempo – uma hora, talvez, mas não quero perguntar – Jeremy reduz a velocidade. Ao parar, ele me ajuda a descer da moto e a tirar o capacete. É bom esticar as pernas, um pouco dormentes e trêmulas, depois de tanto tempo na mesma posição. Meio constrangida, ajeito os óculos nervosamente. Jeremy percebe meu desconforto.

— Não se preocupe, ninguém está olhando.

— Tem certeza?

As palavras escapam antes que eu me dê conta.

— Tenho. Você não pode ver, mas eu posso.

— Está certo.

Assim que os vapores do combustível se dissipam, respiro fundo. O ar fresco, combinado à brisa suave e ao canto de pássaros, me traz boas lembranças da infância, quando passava com meus primos as férias escolares.

Assim que Jeremy me toma pela mão, começamos a caminhar.

— Por que nunca me contou que tem habilitação para pilotar motocicleta? – pergunto, forçando um tom de indignação.

— Há muitas coisas a meu respeito que você não sabe, Alex, mas espero que isso mude nos próximos anos.

Anos? Mesmo quando tento ser amistosa e parecer despreocupada, ele consegue impor um tom incisivo às palavras, e sempre me pega de surpresa. Assim que paramos, ele pede dois cafés com creme sem açúcar, para viagem. Mais uma vez não pede a minha opinião, e isso me intimida um pouco. Enfim... Prefiro relaxar.

– Café, uma pedida perfeita – digo.

Calculo que devem ser entre 10 e 11 horas de sábado. Ou talvez ele tenha pedido café para me induzir a pensar assim. "Pare de tentar adivinhar que horas são. Você não tem como controlar coisa alguma. Relaxe, portanto."

– Para você é mais fácil beber neste copo do que manejar xícara e pires. Cuidado, está quente.

Jeremy fala como eu, quando entrego às crianças alguma comida que tirei do forno de micro-ondas. Depois de deixar o copo na minha mão, ele me conduz a uma mesa externa e me acomoda na cadeira.

Levo o copo à boca devagar, saboreando antecipadamente o aroma e o gosto, embora meus nervos estejam com certeza ligadíssimos, e a adrenalina pulse nas minhas veias; não há necessidade de aditivos, como a cafeína.

Depois de um longo, mas cauteloso gole, comento:

– Ótimo café.

Começo a perceber que uma conversa depende de perguntas ou de indicadores visuais. Como não conto com uma coisa nem outra, meus comentários são superficiais. Parece que estou em um primeiro encontro que não deslancha. Não sei se Jeremy quer analisar minha prosa sem graça ou se não me estimula deliberadamente. Talvez o estilo atual de conversação seja baseado em perguntas, e pelos meus antecedentes acho que faz sentido. Ou pode ser que a minha dificuldade esteja em desenvolver outras estratégias de curto prazo, quando diante de circunstâncias imprevistas. Estranho eu tomar consciência dessa minha característica somente agora, tomando um café ao lado de Jeremy, coberta de couro e desprovida do sentido da visão.

Jeremy finalmente quebra o silêncio e me traz de volta ao presente:

– Quanto quer pelos seus pensamentos?

– Engraçado você perguntar. Eu estava pensando como as conversas se baseiam em perguntas, direta ou indiretamente. E se uma conversa franca pode prescindir de perguntas. Dito em voz alta, o conceito até me assusta. Por enquanto, trata-se apenas de uma ideia, mas, quanto mais penso nela, mais me parece importante.

Segue-se um longo e torturante silêncio.

– Jeremy?

Será que ele me deixou? Que foi ao banheiro?

– Ainda está aí?

Droga, estou falando sozinha, feito louca, e ele nem está aqui. Porcaria de cegueira.

– Estou aqui, sim – Jeremy responde afinal, esticando o braço para tocar minha mão. – É bom que você esteja começando a compreender isso a seu respeito. Acha justo fazer perguntas e não falar de você? Das suas ideias? Dos seus sentimentos? Está tão presa ao lado profissional, que prejudica as relações pessoais! Está tão ocupada cuidando da vida dos outros, que às vezes se esquece da sua, de quem é e do que representa.

Fico um pouco surpresa. Surpresa é pouco, aliás. Estou perplexa.

– Você acha mesmo que eu sou assim?

– Acho. Sempre teve essa tendência, e piorou por causa da profissão. Por isso sente tanta dificuldade em deixar de fazer perguntas e em se entregar durante um fim de semana, como eu previa.

De repente, eu me sinto muito mais nova do que Jeremy, psicologicamente imatura, presa a uma relação situada entre a de pai/filho e a de médico/paciente. O modelo é excepcionalmente desconfortável para mim. Não sei para ele, mas posso imaginar.

– A propósito: como está se sentindo, sem estímulos visuais?

A curiosidade dele carrega um tom levemente analítico.

– Até parece que nunca recebi outros estímulos... – respondo tentando descontrair.

– Sério, Alex, diga.

Em atenção às informações que ele me deu, resolvo responder honestamente:

– É muito difícil. Tenho certeza de que o senhor avalia quanto, dr. Quinn. Em certos aspectos, mais difícil do que eu poderia imaginar. Há momentos em que me sinto frustrada, a ponto de gritar. Em outros, fico surpresa... É...

Sinto o rosto queimar.

– Continue.

Jeremy acaricia o meu rosto, me incentivando a falar mais.

– É estranho não ter a menor ideia do que vai acontecer. Sem ações, sem palavras. Não sei se vou dar uma guinada, se vou parar. Para mim, uma conversa e um passeio de motocicleta têm certa semelhança, em sentido figurado.

– E em outras situações?

Pouco à vontade, eu me remexo no assento. Estou acostumada a perguntar, e não a responder.

– Em outras situações fico excitada à simples ideia de não saber o que virá em seguida, se vou receber um toque, uma carícia ou uma palmada!

A lembrança do tapa no traseiro antes do jantar, de surpresa, me faz corar.

– Não sei aonde isto vai dar, e me sinto realmente tentada a... Você sabe... Abrir mão do controle... Mas é difícil.

– Eu esperava essa reação, mas você superou as minhas expectativas. Se confiar mais um pouquinho, deixe o controle comigo. Neste fim de semana, entregue-se mais do que nunca. Quero que revele a verdadeira Alexa, a mulher há tanto tempo escondida atrás de uma máscara controladora. Nós nos conhecemos profundamente. No mundo inteiro não há quem me conheça melhor do que você, nem quem a conheça melhor do que eu. Não temos nada a perder, e temos tudo a ganhar. Francamente, tenho duas missões de vida: descobrir a cura da depressão, o que pretendo conseguir em um ano ou dois; e você.

Como e quando me tornei a missão de vida de Jeremy? As palavras me atingem em cheio, porque sei que ele jamais falaria levianamente. Os comentários são desagradáveis, mas verdadeiros, quer eu goste, quer não. Jeremy sempre enxergou através de mim, sempre soube o que eu sentia ou desejava, sem que eu precisasse dizer. Assim, ficava um passo à frente dos meus processos de raciocínio. É o que parece acontecer neste fim de semana. Na verdade, nunca nos separamos.

– Se você pensa assim, por que fico meio tensa ao seu lado? Sempre fiquei e, por incrível que pareça, está acontecendo de novo, depois de tantos anos! Olhe para mim agora, toda dependente. Você sabe como valorizo e como trabalhei pela minha independência, e é exatamente o que tira de mim! Você diz para eu me entregar, mas quanto ainda posso suportar? Quanto mais quer que eu suporte? Honestamente, Jeremy, este fim de semana é por minha causa ou por sua causa?

– Observações interessantes, dra. Blake, às quais vou dar uma resposta franca. A senhora sabe que, comigo, deve sempre esperar o inesperado. É o que eu lhe dou. Medo, inquietação, ansiedade, prazer, confiança, entrega, o desconhecido, tudo combinado. Em algum ponto da sua psique essa combinação se mostra excitante. E por que faço isso? Porque sei que você gosta e que, assim, vai se livrar dos limites e restrições que impôs a si mesma. Pense, Alex. Se eu não fizesse parte da sua vida, você não teria liberdade. Não importa que fique com raiva de mim. A raiva passa. Prefiro correr o risco, porque as recompensas valem a pena. Existe entre nós uma atração sexual fortíssima que passamos anos tentando ignorar, mas é simplesmente indestrutível.

As palavras dele me atingem em cheio.

– Uau, é informação demais para uma mulher absorver sem enxergar!

A força das palavras cria linhas de raciocínio que se ramificam na minha mente e me ficam martelando a cabeça. São muitas ideias e emoções ao mesmo tempo.

Será verdade que eu gosto do desconhecido, do inesperado?

O que Jeremy quer dizer com "liberdade"? Ele emprega a palavra com frequência... Ele acredita mesmo que esse é nosso destino?

Tenho a impressão de ser para Jeremy um livro aberto a ser lido com lógica, atenção e habilidade, em um ritmo escolhido por ele.

– Fique certa, Alexa querida, a promessa ainda está valendo, e eu ainda faço questão de que seja cumprida.

– Como?

A súbita mudança de assunto me confunde, já que eu ainda elaborava as informações anteriores. Jeremy explica.

– Você sabe muito bem que sou um excelente estatístico.

A frase vem carregada de insinuações, bem como a minha resposta:

– Claro, Jeremy, como eu esqueceria?

A lembrança bem viva, inicialmente desconfortável, mas sem dúvida extraordinária, faz com que me remexa no assento.

– Que noite! Uma das minhas mais caras vitórias e, sem dúvida, uma das nossas mais importantes descobertas acerca de características incríveis do corpo humano...

A voz de Jeremy falha, e eu volto àquele período da nossa vida.

Na universidade, sempre houve rivalidade entre nós, e frequentemente competimos para ver quem é melhor em que matérias. Jeremy e eu estamos cursando uma disciplina eletiva, Métodos Quantitativos, e fizemos uma aposta: quem tiver melhor desempenho pode pedir ao outro que cumpra uma exigência durante a noite inteira, sem reclamar. Achei a ideia ótima, já que minha nota tinha sido a melhor da turma em todos os testes. Logo imaginei Jeremy nu, fazendo uma faxina no meu apartamento, preparando o jantar, me aplicando massagem e à minha disposição para o que eu quisesse. Não me ocorreu que ele pudesse ganhar; afinal, não era sua área de atuação.

As notas são finalmente anunciadas. Jeremy ficou meio ponto na minha frente, porque sua explicação para a última questão foi mais completa. Vou à sala do professor Jarlsberg para analisar o teste, questão por questão. Em uma atitude irritante, embora compreensível, Jeremy me acompanha, sem conseguir – nem querer – esconder um sorriso grande e largo demais para o rosto. Não há argumento ou protesto que convença o professor a me dar mais meio ponto ou tirar meio ponto de Jeremy, embora os céus saibam que tentei. O sorriso de Jeremy parece dobrar de tamanho, se isso é possível.

– Nem uma palavra – digo asperamente, de dedo em riste, ao sair furiosa da sala.

Jeremy não fala, mas sua expressão diz tudo.

Eu o evito deliberadamente pelo resto do dia, ou ele tem a sensatez de me deixar em paz. Somente à noite nos encontramos, para comemorar o aniversário de um amigo, em um sofisticado bar gay perto de Oxford Street, no centro da cidade. Estou mais calma, menos aborrecida com a derrota. Daí a uma hora, mais ou menos, conversamos em grupo, quando Jeremy sussurra no meu ouvido:

– Acho que vou querer meu prêmio agora.

– O que você disse?

Ele repete.

– Aqui e agora? – eu pergunto.

Estou meio sem graça, por causa do meu comportamento horas antes. Não costumo ser má perdedora. Mas também não costumo perder.

– Claro, o que posso fazer por você? Pagar uma bebida?

Tomo o caminho do bar, mas Jeremy rapidamente agarra minha cintura e me puxa em outra direção.

– Por aqui. Venha comigo.

Eu hesito, confusa. Seria indelicado sair sem me despedir. Fiquei por pouco tempo, e estava me divertindo. Ele percebe a hesitação e me conduz com mais firmeza, rumo à escada.

– Agora!

– O que é...

Jeremy leva os dedos aos meus lábios, para me calar. Eu nem sabia da existência de um subsolo no bar. Uma porta bem larga dá acesso ao toalete unissex. Ele me faz entrar e tranca a porta. Parece que estamos em um cofre. Em uma das paredes há um espelho que vai do teto ao chão, enquanto todas as outras superfícies são acarpetadas. Trata-se de um ambiente luxuoso, em especial se considerarmos seu propósito fundamental. Ao perceber meu olhar curioso, Jeremy explica:

– Ajuda a abafar os ruídos.

– Os de fora ou os de dentro?

Ele ergue uma sobrancelha e dá um sorrisinho malicioso.

– Humm... Boa pergunta.

O que terá Jeremy em mente?

– Precisa ir lá?

A pergunta me surpreende, já que ele aponta a privada.

– Não! E não seria com você aqui dentro – respondo com indignação.

Ele lava com água morna e seca cuidadosamente as mãos.

– Por favor, Jeremy, o que é isto?

– Eu ganhei, você per... Quer dizer, você não ganhou.

Ao perceber meu suspiro de impaciência e minha expressão irritada, ele se aproxima.

– Me diga qual foi a condição da nossa aposta, Alexa.

Lá vamos nós...

– Sem reclamações, Jeremy.

– Fico satisfeito em ver que lembrou. Vire-se e ponha as mãos no espelho, acima da cabeça.

– O quê?

Jeremy me faz virar, ficando de frente para o espelho, e se posiciona atrás de mim. Apesar dos sapatos de saltos altíssimos, sou mais baixa do que ele.

– Já!

Ele pega minhas mãos com impaciência. Sinto que a noite vai ser longa.

– Tudo bem, tudo bem.

Para acalmá-lo, obedeço e espicho o traseiro para trás, o suficiente para perceber uma ereção. Ah, Jeremy, isto excita você! Rimos os dois, quando nossos olhares se encontram no espelho. Os olhos dele faíscam de desejo.

Ele suspende minha saia até a cintura, desce a calcinha até os tornozelos e espera que eu me livre dela. Com um suspiro de resignação, levanto o pé esquerdo. Ele cuida para que minhas pernas fiquem bem separadas.

– Obrigado.

Jeremy age com a gentileza de quem puxa a cadeira para uma senhora se sentar. O que pretende?

Ele me beija o pescoço, passa o braço pela minha cintura e, sem perder um segundo, agarra meu sexo.

– Isto vai ser divertido. Não tire as mãos do espelho, Alex. Estou falando sério.

Em seguida, pega no bolso alguma coisa que deposita em uma pequena prateleira, fora do meu raio de visão. Então, começa a agir. Uma das mãos fica na parte de trás da cintura, por baixo da saia enrolada; a outra vai pela frente, onde os dedos mágicos começam a exploração. A lubrificação interna facilita o acesso, e a precisão e o impacto da massagem se refletem em minha expressão. Jeremy me observa atentamente. A tensão do dia dá lugar a uma tensão sexual crescente, me fazendo gemer. Minhas mãos escorregam, deixando um rastro de umidade no espelho.

– Não tire as mãos do lugar.

Abro mais os dedos, para aumentar a aderência. Oh, céus, ele continua a exploração... Sei que estou perto do orgasmo que tanto desejo. Como ele faz isso acontecer tão depressa? Seus dedos trabalham em harmonia. Falta pouco, muito pouco, para eu entrar na vastidão... na tranquilidade... perder todo o senso... e explodir na perfeição e na maravilha do que Jeremy faz comigo. Inclino a cabeça em direção ao espelho. Meu corpo vibra no ritmo criado por ele, quando sinto o ânus ser invadido. O invasor é surpreendente, morno, arredondado, escorregadio.

–Ei, o que é isto? – pergunto afinal, depois de recuperar um pouco do equilíbrio.

– Um vibrador anal. Projeto de uns colegas meus. Eles querem usar a formação em Ciência e Administração para entrar no negócio de artigos eróticos, e eu me ofereci para testar.

Como ele consegue me fazer as coisas mais loucas e, em seguida, conversar normalmente sobre artigos eróticos? Chego a esquecer por instantes a minha atual situação.

— E o que o projeto deles está fazendo no meu rabo?

— Eu sempre quis explorar um pouco mais essa sua bundinha linda. Como ganhei a aposta, hoje posso. E o melhor é que não vou ouvir uma reclamação sequer.

Somente quando o rosto de Jeremy se abre em um sorriso malicioso, percebo que não ousei mover um só músculo desde que ele me enfiou o invasor. Quanto mais tensa fico, mais sinto a presença dele e mais força faço para expulsá-lo. Mas o invasor não sai do lugar, e não tenho a menor vontade de colocar a mão nele. Chocada, continuo a olhar para Jeremy pelo espelho.

— O tema desta noite é Marco Polo — ele anuncia, orgulhoso.

Continuo imóvel. Ele não pode estar falando sério.

— Assim como Marco Polo descobriu novos territórios, vou entrar em regiões inexploradas do seu corpo.

Oh, céus, ele fala sério, e parece muito seguro de si.

— Respire, Alex, e pode se mexer. Você vai ficar bem. Só é meio estranho enquanto o corpo não se adapta à sensação.

— Quando foi que se tornou expert nessas coisas, Jeremy? — despejo as palavras.

— Digamos que sou bem informado.

Ele se abaixa para pegar meu pé, fazendo com que eu me contraia, em resposta ao movimento forçado. Com habilidade, devolve a calcinha à localização anterior e, delicadamente, empurra e puxa uma vez o vibrador. Chego a perder o fôlego. Por último ele recoloca a saia em uma posição respeitável.

— Perfeito. Ainda bem que veio de saia curta. Muito conveniente. Está pronta para voltar? Já ficamos aqui um bocado de tempo.

Olho para Jeremy horrorizada. Não imaginei que fosse voltar ao grupo. Os olhos dele brilham ao ver a minha expressão.

— Prefere ir sem calcinha?

– Claro que não!

A ideia me deixa gelada, em especial porque noto que ele contrai levemente os cantos da boca.

– Como pode ser tão bundão, Jeremy?

– Sem trocadilhos, querida, por favor. A noite está só começando.

Fico surpresa ao ver a minha imagem refletida no espelho: bochechas coradas e um brilho pós-orgasmo no rosto, em vez da palidez mais condizente com um vibrador invasivo.

– Pode acreditar, você está mais bonita agora do que quando entrou aqui. E vai ficar mais bonita ainda, com o avanço da noite.

Olho para ele, à espera de maiores explicações.

– Pretendo retirar o vibrador do mesmo modo como coloquei, mas os seus orgasmos vão ser muito mais intensos fora dos limites de um toalete unissex, garanto.

As palavras me deixam ainda mais corada, e os espasmos da vulva chegam ao vibrador. Com cuidado, dou o primeiro passo. Reparo, então, que já não sinto tão nitidamente a presença do "brinquedinho". Que curioso... A sensação foi substituída por um estranho e poderoso impulso sexual.

– Sempre que perceber o vibrador dentro de você, pense no meu toque e no que vai acontecer. Enquanto isso, vamos tomar uns drinques, para você relaxar e não dar a perceber que tem alguma coisa enfiada na bunda!

Quando Jeremy me dá um tapinha no traseiro, eu me contraio instintivamente, fazendo o invasor se ajeitar na posição. Meus mamilos endurecem de imediato. Droga, Jeremy nota.

– Amo o seu corpo, AB. Ele fala diretamente comigo.

Fico satisfeita por manter uma conversa agradável com Josh e Sally, meus colegas de laboratório, tentando ignorar as piscadelas na minha direção e os sorrisinhos de Jeremy, no grupo ao lado. Estou conformada com o fato de que o invasor vai ficar lá até que ele tire, ainda mais que não quero tocar nele. Na verdade, não parece tão ruim, ou melhor, nada ruim, embora eu não pretenda admitir isso. Estamos no meio de uma discussão animada, quando o maldito dispositivo começa a vibrar dentro de mim. Com o susto, jogo para o alto a bebida, que cai sobre o pobre Josh. A sensação é inteiramente nova. Quero me desculpar, mas só consigo ficar agarrada à mesa, de cabeça baixa, transpirando e respirando com dificuldade. É melhor o abominável Jeremy desligar a droga do monstro vibrador. Com uma sensação tão forte, não posso nem levantar a cabeça para lançar a ele um olhar mortal.

– Ei, Alex, o que foi? Está tudo bem? Sente-se aqui...

Sentar? Não, obrigada. Mas como explicar aos meus amigos? Felizmente a coisa desliga sozinha.

Afinal, consigo responder aos arrancos:

– Estou bem... Verdade...

Jeremy se põe ostensivamente ao meu lado e encena um ato de preocupação com o meu bem-estar.

– Alex, você não parece bem. Acho melhor eu a levar para casa.

Lanço a Jeremy um rápido olhar furioso, mas concordo.

– É, talvez seja boa ideia.

Outro susto desses, e perco o controle. Além disso, preciso desesperadamente do orgasmo prometido.

– Vamos. Agora.

Ao sentir a urgência na minha voz, ele reúne rapidamente nossos pertences, e, depois de rápidas despedidas, saímos.

Em casa, com muito cuidado e carinho, Jeremy penetra no meu ânus. Não dói tanto quanto eu pensava. Na verdade, quanto mais relaxada fico, mais ele tem espaço para agir dentro de mim. O sexo anal parece mais próximo, estranhamente mais íntimo do que o sexo vaginal. Ele me toma por inteira. A sensação é muito diferente, concentrada na parte inferior das costas, enquanto o clitóris é estimulado intensamente pelos dedos habilidosos de Jeremy. O que mais posso dizer? Apenas que não precisava ter ficado tão ansiosa. Segundo Jeremy, o sucesso se deve ao planejamento e à preparação adequada. Deitados juntos na cama, admiramos nossos corpos nus e a experiência que acabamos de compartilhar. Absolutamente perturbadora. Talvez eu não devesse ter resistido por tanto tempo... De todo modo, valeu a pena esperar.

– Quer saber? Já decidi o assunto da minha tese – digo, orgulhosa, em meio aos carinhos.

– Finalmente! Qual é?

– Vou usar como base os trabalhos de Sabina Spielrein que tratam especificamente da conexão entre masoquismo e ego, em relação à condição feminina.

– Uau, AB, assunto difícil! Foi aprovado?

– Esta manhã. Estou empolgadíssima.

– Alguma razão especial para a escolha?

Jeremy me encara, prevendo a resposta.

Subitamente embaraçada pelo olhar dele e pelo tom da pergunta, viro de bruços e enterro a cabeça no travesseiro.

– Alexa, você não está tentando se esconder de mim, está?

Depois de delicadamente tentar me fazer voltar à posição anterior, ele continua:

– Alex, não existe a menor possibilidade de você se livrar de mim.

Droga, o que foi que eu fiz? Por que não respondi academicamente, como quando conversei com o professor Webster, hoje de manhã?

Jeremy finalmente consegue me virar de barriga para cima e começa a me fazer cócegas sem dó nem piedade. Só consigo rir alto e pedir, entre um ataque e outro:

– Pare, por favor! Eu detesto isso!

– De jeito nenhum. Só se você contar.

Estou presa embaixo dele, e não resisto à tortura.

– Está bem, está bem, eu conto!

Ele me prende os braços à altura da cabeça, para ter uma boa visão do meu rosto, e espera pacientemente que eu recupere o fôlego. Decido acabar logo com o problema.

– Sempre tive a fantasia de estar privada da liberdade e da visão, de ser servida e obrigada a servir. Quero descobrir a causa *disso, porque me incomoda. Pronto, assunto encerrado.*

– Interessante...

Jeremy me olha pensativo, de olhos muito abertos e um sorriso nos cantos da boca. O silêncio entre nós parece crescer. Tomara que ele não volte ao tema da minha tese.

– Gostou desta noite, Alex?

– Gostei.

– Muito?

– Muito.

– Esperava por isso?

– Não. Não mesmo.

– Vou ficar supersatisfeito em me envolver diretamente na pesquisa de qualquer parte da sua tese.

– Obrigada. Vou me lembrar disso.

– Obrigado por me dizer.

Livre, enfim.

– De todo modo, estou satisfeito por ver que você afinal tomou o caminho da autodescoberta. Quer dizer que meu plano está funcionando exatamente como eu pretendia.

– Ah, um plano seu é um péssimo presságio, Jeremy.

– Não diga isso, querida, veja aonde já chegou. E ainda vamos longe!

Concluo que ele está brincando, embora desconfie de tanto entusiasmo.

– Só por curiosidade: você explorou pessoalmente a psicologia da sua hipótese, conforme discutimos?

– Não, Jeremy. Se eu fizesse isso, você saberia.

– Por quê?

– E precisa perguntar? Como se eu fizesse alguma coisa desse tipo com outra pessoa...

– Não sabe como fico feliz.

Não sei bem o que ele quer dizer, mas tenho certeza de que é melhor mudar de assunto rapidamente.

– Longe de mim atrapalhar o caminho que você traçou com tanto cuidado.

Acabo de tomar o café e deixo o copo vazio em cima da mesa.

***

Preciso usar o banheiro, e vai ser complicado. Embaraçoso, ter de pedir ajuda a Jeremy. Nessas horas, ser dependente é terrível. Mas que escolha tenho?

– Sem problema. Venha.

Ele me faz passar por uma porta. Em seguida, abre um zíper na parte de baixo da minha calça, de trás para a frente. Inacreditável.

– A privada fica atrás de você. E não se preocupe com a calcinha; é do modelo francês, com zíper, para facilitar o acesso.

Percebo que ele fala sorrindo.

– Espero lá fora.

Terá Jeremy deixado ao acaso um único detalhe deste fim de semana? Provavelmente não. Ele sempre foi um planejador meticuloso, e o tempo deve ter aperfeiçoado essa habilidade. Zíperes e calcinhas francesas. A finalidade seria uma emergência como esta ou teria ele outra ideia em mente? Procuro me concentrar na tarefa atual.

– Resolvido? – ele pergunta.

Faço que sim.

– Ótimo. Venha comigo. Vamos providenciar o seu equipamento.

"Merda", é só o que penso.

Meus pés permanecem presos ao chão, enquanto o estômago embarca na montanha-russa de sentimentos: ansiedade, medo, calma, medo, calma, medo, calma...

– Equipamento...

Começo hesitante, mas logo corrijo:

– Isto é uma afirmativa, não uma pergunta.

Ele me guia, sem visão e sem palavras.

– Não se preocupe, vai adorar.

– Adorar? Adorar o quê?

Procuro pensar em alguma coisa de que goste e que precise de equipamento, mas nada me ocorre.

Correias são ajustadas aos meus ombros, e ouço "clique, clique". Mãos fortes me fazem o mesmo nas pernas e na cintura: "clique, clique". Nada mais se ouve.

– Jeremy?

As mãos não parecem dele, e reconheço o cheiro de cigarro.

– Como está se sentindo, amor? – uma voz masculina desconhecida pergunta.

Só percebo que o homem fala comigo quando uma das correias é reajustada. Depois de puxões e apertões, ouço um estalo final.

– Assim está melhor. Os dois estão prontos. Não se preocupe, amor, vai ficar bem assim que se acostumar com o balanço. A primeira parte é que dá um medo danado.

O homem ri e dá no meu ombro um tapinha tranquilizador. Sinto as pernas bambas. Sem voz, não consigo nem dizer que não enxergo através dos óculos escuros. Balanço? Medo danado na primeira parte? Minha boca se prepara, mas as palavras não saem. Tento desesperadamente entender o que se passa. Estou vestida. Isso é bom, não? Mas os zíperes, o acesso entre as pernas, as correias, os fechos, tudo é muito preocupante. Minha mente se enche de imagens de orgias e jogos de sexo selvagem. Como ele pôde? Por quê? A coisa está indo longe demais. Não quero, não vou fazer. Esta não sou eu. O pânico me deixa paralisada.

Ouço uma voz distante.

– Alex?

A cabeça gira, os joelhos dobram, o ar falta. Eu me inclino para a frente, mas sou amparada antes de cair.

– Céus, AB, você está bem?

Não sei se quem responde é minha mente ou minha voz:

– Não estou nada bem.

– Calma, respire. Um passo de cada vez.

Braços fortes me amparam, cambaleante, enquanto subimos alguns degraus e caminhamos mais um pouco. Livre-se do mal-estar, livre-se da tonteira. Bom conselho.

– Sente-se aqui. Quer água?

Sou instalada em um assento acolchoado.

"Água, boa ideia."

– Alexa, água?

Pensei que tivesse respondido. Faço que sim. Quando a água me chega aos lábios, bebo um gole. E mais outros. Preciso prolongar o momento, para recuperar o controle sobre a cabeça e o estômago, e dizer a Jeremy que é melhor parar o que estamos fazendo.

"Respire fundo"... O estômago ainda incomoda, mas a tonteira diminui, graças à oxigenação.

– Isso, continue respirando. Já está melhor.

Não sei se a voz é de Jeremy ou de outro homem. Em um esforço concentrado, comando: "Inspire, expire, ar entra, ar sai."

– Alex, responda, por favor. Você está bem? Está me ouvindo? Não sei o que lhe aconteceu.

– Estou... um pouco...

Uma porta se fecha, e os sons ficam abafados.

– Tudo bem... Estou aqui ao seu lado, querida. Não vou deixar você.

Há um tom tranquilizador na voz de Jeremy.

– Não posso... – começo a dizer.

As palavras custam a percorrer o caminho do cérebro à boca. Bebo outro gole de água. Um novo estalo me faz falar. A voz sai áspera, aos arrancos.

– Não vou usar equipamento para entrar em espécie alguma de máquina sexual voadora, Jeremy. Isto precisa parar. Como pôde me deixar nesta situação? Os homens cheiram a cigarro! Não quero e não vou.

Inspiro com força, para segurar as lágrimas que tentam brotar dos meus olhos, e continuo:

– Você foi longe demais!

Jeremy passa o braço pelos meus ombros.

– Alex, o que está pensando? Que eu quero isso de você?

Começo a chorar convulsivamente.

– Não posso, Jeremy. Não está em mim! – falo entre soluços.

– Não estou pedindo isso, querida! Quero que se divirta, não que se aborreça!

– Como não, Jeremy? Olhe só para mim!

Ouço a partida de um motor e o funcionamento de uma hélice.

– O quê? Estamos em um avião? – pergunto, incrédula.

Com a aceleração, sou jogada contra o assento. De repente, o avião decola. Minhas lágrimas secam imediatamente. Eu me livro do braço de Jeremy, fecho o punho e preparo um soco com toda a força no que imagino seja o peito dele, mas ele agarra minha mão.

– Seu idiota! – grito. – Seu perfeito idiota!

Sem largar minha mão, ele recoloca o braço sobre meu ombro e me prende ao assento. Sabe que estou louca para tentar um novo ataque. Sinto o corpo dele sacudir, em uma risada silenciosa. Sou capaz de explodir de raiva. Em uma demonstração de força, ele me segura.

– Vamos lá, AB, o que posso fazer, se você tem a mente suja? Embarcamos em um avião, e você se imagina em uma excêntrica máquina de sexo? Vai ter de me contar o que pensou, exatamente!

– Ora, cale a boca, Jeremy. Cale a boca!

Ele ri incontrolavelmente. Consigo livrar a mão e cruzo os braços, em uma atitude defensiva. Estou furiosa, desiludida, perturbada.

Na verdade, não sei de onde tirei a ideia. Por que cheguei àquela conclusão? Preciso pensar nisso.

Aproveito a distração de Jeremy, e dou-lhe uma cotovelada nas costelas. Ele para de rir; assim me sinto um pouco melhor. Estou cansada dos óculos escuros, de barreiras a me cobrirem os olhos. Desejo desesperadamente que o efeito das gotas tenha passado. Quando vou arrancar os óculos, tenho o gesto interrompido. Ele nunca para de me observar?

– Não se atreva, Alex. Você sabe muito bem o que aconteceu na noite passada.

Com uma só mão ele prende meus dois pulsos, e parece disposto a passar o resto da viagem nessa posição. Sem remorso. Sem pedidos de desculpa. Em silêncio, continuo a ferver por dentro.

Afinal Jeremy encosta o rosto no meu pescoço e, parecendo mais calmo, fala em tom divertido:

– Vamos admitir que é engraçado.

– Não acho graça nenhuma – respondo, desafiadora.

– Mas você pensou mesmo... Honestamente... Acreditou que...

Jeremy recomeça a rir, mas provavelmente vê a minha expressão e interrompe a risada. Em seguida, fala em um tom ao mesmo tempo sério e delicado:

– Obviamente pensou que fosse alguma coisa muito ruim. Nunca vi você reagir desse jeito... Estava tremendo! É importante compreender a razão dessas emoções. Tudo faz parte do processo. Vai aprender muito sobre si mesma.

"Deve estar com remorso" é a conclusão a que chego, apesar do potencial de verdade contido em suas palavras.

– O que era tão assustador? Por que tanto medo?

– Não quero continuar com isto, Jeremy. Não me obrigue, por favor. Não aguento mais. Vou acabar tendo um ataque cardíaco.

– Sorte sua eu ser médico. Dá tempo de salvar. Além disso, você goza de perfeita saúde.

– De nada adianta uma saúde perfeita sob estas condições. E como você sabe?

Neste momento, sinto uma lufada de vento, acompanhada do ruído ensurdecedor do motor do avião. E agora? Sou puxada e presa a alguma coisa.

Jeremy grita no meu ouvido, para superar os barulhos do vento e do motor:

– Ainda não descobriu? Vamos saltar de paraquedas, como no seu aniversário de 25 anos! Lembra que quis desistir, mas depois adorou?

Pelo ruído do motor e pela força do vento, sei que ele não está brincando. Alívio, medo e excitação invadem meu corpo. Minha única reação é balançar a cabeça, perturbada.

– Preciso de muita adrenalina circulando no seu corpo, para você ter energia mais tarde! – ele continua, em um misto de provocação e sinceridade.

– Isto deve servir perfeitamente. Mas... E a cegueira? – pergunto nervosamente.

– Tudo parte do processo.

Eu me agarro desesperadamente a Jeremy, grudado em mim, e grito:

– Não é porque eu saltei uma vez...

"E adorei", admito secretamente.

– ...que vou querer saltar de novo, agora.

A pressão do corpo dele contra o meu se intensifica. Sinto que o momento do salto está próximo.

– Pronto, Alexa. Três, dois, um...

Sou lançada no vazio. Com as várias cambalhotas, o ar penetra em todos os orifícios do meu rosto, impedindo a expiração e fazendo meu estômago revirar. A pressão força meus braços e pernas a se abrirem, e o ruído do vento supera o barulho do motor, cada vez mais distante. Em pouco tempo, só restam os sons da natureza.

Nada se compara à experiência de saltar de um avião, cheia de esperança e ligada à pessoa que maneja as cordas. A força do oxigênio no cérebro domina meu corpo. O mergulho vertical me provoca um bolo na garganta, e perco toda a noção de estabilidade. Pensei que o paraquedas não demorasse a abrir, mas a queda livre em meio ao nada parece durar para sempre. E como o nada pode agir com tanta força sobre cada músculo, cada centímetro de pele, cada célula? Meus tímpanos estão a ponto de explodir. Pela primeira vez, agradeço por ter os olhos fechados. Uma súbita umidade me faz estremecer; imagino que tenhamos passado por uma nuvem baixa. Continuamos a cair. Meu estômago finalmente se acalma, e consigo aproveitar o ímpeto e a velocidade. É ainda melhor do que a primeira vez: irresistível, avassalador, uma súbita descarga de adrenalina. Minha versão de ecstasy, heroína, anfetamina, ou o que for... A ideia me lembra um cliente que contou ter usado heroína uma vez, para nunca mais. Quando perguntei se havia sido ruim, ele respondeu: "Pelo contrário, foi tão incrivelmente bom que, se usar de novo, não paro mais." Somente Jeremy poderia saber que a descarga de adrenalina faria desaparecer rapidamente a raiva que eu sentia. De repente, me passa pela cabeça o pensamento de que eu me viciaria em Jeremy com facilidade.

Para mim, a queda já foi suficiente. Não quero mais aproveitar a sensação. Não é hora de o paraquedas abrir? A falta de visão já não é tão bem-vinda. Preciso saber a que distância do chão estou. Meus pulmões parecem cansados do ar que é forçado para dentro deles. O coração bate mais depressa à medida que o medo cresce. Se queria adrenalina, Jeremy conseguiu, com certeza. Tenho a impressão de que, durante estes segundos, tudo em mim está em queda livre, em perigo, arriscado à destruição; e não posso impedir, interromper ou controlar. Muitas vezes sonhei estar caindo, caindo, em desespero para acordar antes de chegar ao chão. Nos sonhos sempre me pergunto como e por que estou naquela situação.

Será que meu consciente e meu inconsciente se encontraram, afinal? E esta é a consequência, a conclusão? Os sonhos foram proféticos ou não entendi algum aviso? Onde está Carl Jung quando se precisa dele?

"Por favor, que nada de ruim aconteça. Que eu viva para ver meus filhos novamente. Que eu saia disto inteira." Não quero morrer. Não estou pronta para morrer... Esta queda não termina? A que altura chegamos? Mais de 3 mil metros? Menos de 5 mil metros? Fomos tão alto assim? Houve tanta pressão, inclusive pela surpresa de voar, que não reparei em nada. Deveríamos...

De repente, o equipamento me dá um puxão entre as pernas, e tenho a impressão de que estamos parados.

Silêncio.

Depois das vibrações de segundos atrás, o silêncio é ensurdecedor. Começamos a planar suave e tranquilamente. "Obrigada. Obrigada." Uma extraordinária sensação de alívio toma conta de mim.

Tenho perfeita consciência do meu sangue circulando, bombeado pelo coração, mas o ruído e a pressão diminuíram, e os braços e pernas não são mais forçados para fora. Aproveito a maravilha de pairar na calma, beleza e liberdade do mundo. Tudo parece em paz. Meu estômago se acomoda em algum lugar perto do umbigo, mas não garanto que tenha retomado exatamente a posição original. Volto a sorrir, de emoção e alívio pelo fim da experiência. Sinto-me feliz, livre, tomada pela alegria de estar viva. Lágrimas quentes brotam dos meus olhos.

Meus joelhos se dobram quando tocamos o chão, com um solavanco, e então... nada.

Ainda sem saber se estou mesmo consciente, recebo um abraço apertado. Um abraço de verdade. Sinto que alguém me livra do equipamento e me faz virar de frente. Sei que é Jeremy. Enterro a cabeça no peito dele, deixando-me embriagar pela adrenalina. Começo a tremer. O abraço fica mais forte. Deixo escapar um soluço. E outro. Não consigo parar. Parece que estou transbordando. Por algum tempo, tremor e soluços me sacodem o corpo.

Nenhum de nós fala.

Continuamos abraçados.

Palavras não são necessárias. Sei que esses braços não vão me abandonar.

Expiro longamente várias vezes, até a respiração se normalizar.

Depois de algum tempo, sinto o queixo delicadamente erguido, e lábios tocam de leve os meus. Envolvida pela cintura, sou conduzida, quase carregada.

Nossos corpos se movem em sintonia. Ouço algum tipo de preparação, e sou depositada sobre um cobertor, sob o calor do sol e a suavidade da brisa. Continuo cega. Sei que vou permanecer assim até se completarem as 48 horas. Estou conformada. Não quero mais brigar. Aceito. Em paz.

Cessam os ruídos em volta. Fico imóvel. Restam os pássaros, a maresia, as ondas indo e vindo, em seu ritmo universal. Jeremy me pega pelos ombros e me faz deitar. Sinto um leve toque no queixo, e o corpo dele se deita sobre o meu. Tateando, procuro sentir seu cheiro. Preciso desta boca, deste rosto. Preciso transmitir a intensidade da minha emoção, transferir o desejo e a urgência por tantos anos adormecidos no âmago do meu ser. Este rosto compreende o que me fez no passado, o que me faz no presente e o que estou sentindo.

Meu corpo estremece e pulsa sob o corpo dele. São muitas as barreiras físicas entre nós, o que é penoso e frustrante. Procuro meios de me aproximar, de remover as barreiras. Necessito de proximidade. Anseio por isso, mas minhas mãos são beijadas e aprisionadas sob o corpo dele. Meu corpo ainda pulsa, mas vai se acalmando. A respiração se normaliza, os batimentos cardíacos ficam mais lentos. O mesmo acontece com ele.

– Poderosa, intensa, generosa.

Isso basta para provocar uma forte sensação entre as minhas pernas. Preciso esperar um pouco. Ele sempre me causou essa coisa pré-orgástica – com um olhar, um toque, um comentário. Em vez de diluir-se com o passar dos anos, essa capacidade alcançou um nível de concentração inimaginável.

– Sente o mesmo que eu? – ele sussurra no meu ouvido.

Emocionada demais para falar, e sem querer validar a verdade contida nas palavras, faço que sim, e só consigo perguntar:

– O que você fez comigo?

– Você sabe que eu a amo, Alexa.

A voz dele vem carregada de emoção e verdade.

– Sei. E você também sabe que eu o amo.

– Estranho este nosso amor, que não se baseia na descrição tradicional.

– Sempre foi assim... Estranho... Intenso... Divertido... Inebriante...

– Nosso amor inexplicado, não conformista...

– Pelo menos pensávamos assim, na juventude.

O humor de Jeremy parece mudado. Estou acostumada a vê-lo passar da brincadeira à provocação, da impetuosidade à reflexão, mas agora é diferente. Ele ao mesmo tempo conversa comigo e perde-se em pensamentos. Suas palavras ainda guardam um toque de mistério, mas não posso – ou não quero – investigar. Minhas tentativas de perguntar sempre me causam problemas. E ele diz que me ama. A montanha-russa na escuridão está ficando tão emocional quanto física.

Eu me sinto exausta, entorpecida.

Viva.

Calma.

Intensa.

Leve.

Energizada.

Desarmada.

Assustada.

Sensual.

Especial.

***

Estou deitada de costas, apoiada nos cotovelos. Jeremy me oferece água. As necessidades básicas se tornam prioritárias quando percebo como sinto sede. Bebo avidamente.

– Obrigada.

– Está com fome?

– Não sei.

Mas dou uma mordida no sanduíche que ele me oferece.

– Humm... Talvez esteja.

Conversamos muito, comemos e bebemos. Assim, desaba completamente o muro que, durante uma década, construí com tanto cuidado, para me proteger do que sinto por ele.

– Posso perguntar uma coisa? – a voz ao meu lado pede.

Afasto a ansiedade que me atinge por uma fração de segundo.

– Claro. O que quer saber?

– Você ainda faz?

Devo ter demonstrado toda a minha confusão, porque ele enfia a mão entre as minhas pernas e dá um leve aperto mais para trás.

– Você sabe. Atrás.

– Que pergunta! Não, só aquela vez, com você.

Eu não esperava uma mudança de assunto tão radical.

Meu ânus deve lembrar a sensação, porque começa a reagir.

– Por que não?

– E por que deveria?

– Ora, Alex... – ele diz, inexpressivamente.

– Isto é ridículo!

Ele volta ao assunto:

– Mas você gostou.

– *Você* gostou, e por isso quis fazer. Estava obcecado, e ainda parece estar.

– O seu corpo gostou.

– Não tenho tanta certeza.

– Ah, gostou, sim, e muito.

Ele me vira de bruços e aperta meu traseiro vestido de couro. Um formigamento percorre o meu corpo, como que para confirmar.

– É, pode até ter gostado, mas *eu* não gostei – apresso-me a corrigir, tentando encerrar a questão.

Por que ele está falando nisso?

– Não é tudo a mesma coisa?

– Claro que não.

– Verdade? Então, a sua mente e o seu corpo discordam?

Lá vamos nós, retomar a velha discussão...

– Por que quer usar as palavras para me envolver, Jeremy? Sinceramente, neste fim de semana você está me fazendo rever todas as ideias em que acreditei pela vida toda. É muito perturbador.

– E está melhorando a cada segundo – ele ri, confiante.

– Não acho graça nenhuma.

Não digo mais nada, na esperança de que ele mude de assunto.

– Só perguntei porque estou envolvido em uma pesquisa que trata exatamente disso.

É minha vez de rir. Imagino esse tipo de pesquisa, nos tempos de universidade. Jeremy se ofereceria para participar, com certeza.

— Bundas? A porta dos fundos?

— Nada disso, Alex — ele corrige, sério.

No entanto, logo retoma o tom brincalhão:

— Por enquanto, pelo menos. Mas vou adorar fazer a experiência com você, quando estiver disposta.

E depois de uma carícia estratégica no meu traseiro, encerra o assunto:

— Veremos isso mais tarde. Agora, precisamos ir.

Eu me deito de lado e tento negociar.

— Precisamos mesmo? O sol está tão agradável! Seria bom ficarmos mais um pouco, para um cochilo... O que acha?

— Seria ótimo, mas não vai dar. O tempo é curto, e não vou desperdiçar deixando você dormir. Preciso aproveitar ao máximo.

— O que falta acontecer, Jeremy? Bebida, banho, jantar, dança, música, sexo, orgasmos, café, motocicleta, paraquedismo (enfatizo este último) e piquenique. Seria muito para uma semana, quanto mais para um dia! Vamos descansar uma meia hora. Ainda temos bastante tempo.

No entanto, não faço a menor ideia de onde estamos nem do tempo de que podemos dispor. Estico o braço, tentando puxá-lo para perto, mas não encontro ninguém.

— Você não mudou nada, não é? Há muito a experimentar e explorar em pouco tempo.

— Saltar de paraquedas não é a aventura máxima? Garanto, Jeremy, estou perfeitamente desperta, como não me sentia há décadas.

Os acontecimentos desta manhã me vêm à mente, reacendendo minhas sensações.

— Eu não afirmaria, querida. Estou só começando.

Ele me acaricia o rosto e beija de leve os meus lábios. Droga, só começando? O que falta acontecer? Meu coração dispara. De novo.

— Você possui uma inocência encantadora, Alexa, mesmo depois de tantos anos.

Não sei se considero a observação um elogio ou uma crítica.

– Essa sua inocência precisa ser corrigida. Não há tempo a perder. Vamos.

– Não vou. Que inocência? De que está falando?

Eu jamais me descreveria como "inocente". Por pura teimosia, permaneço sentada.

Jeremy me ignora.

– Se não se mexer, vou ter de fazer isso por você. Hoje em dia, o trabalho de um homem nunca termina.

Ele me faz levantar. Com uma das mãos aperta o meu traseiro, como que para confirmar a conversa anterior. Depois de alguns passos, me acomoda em um assento quente, prende o cinto de segurança e ajusta os óculos de sol, para assegurar que eu continue em total escuridão.

– Estamos em um carro?

O ruído do motor se junta à música de ritmo bem marcado que sai dos alto-falantes. Deve ser um carro conversível, porque o vento me bate forte no rosto, quando pegamos a estrada. A viagem de volta ao hotel deve ser mais confortável. Pensando melhor, depois da moto, do avião, do paraquedas e, agora, do carro, podemos estar indo a qualquer lugar. Talvez tenhamos cruzado uma divisa estadual. Estou curiosíssima para saber onde estamos, e a intenção de Jeremy é essa mesmo, com certeza. Ainda assim, não ouso perguntar. Permaneço em silêncio, aproveitando o descanso psicológico proporcionado pela música.

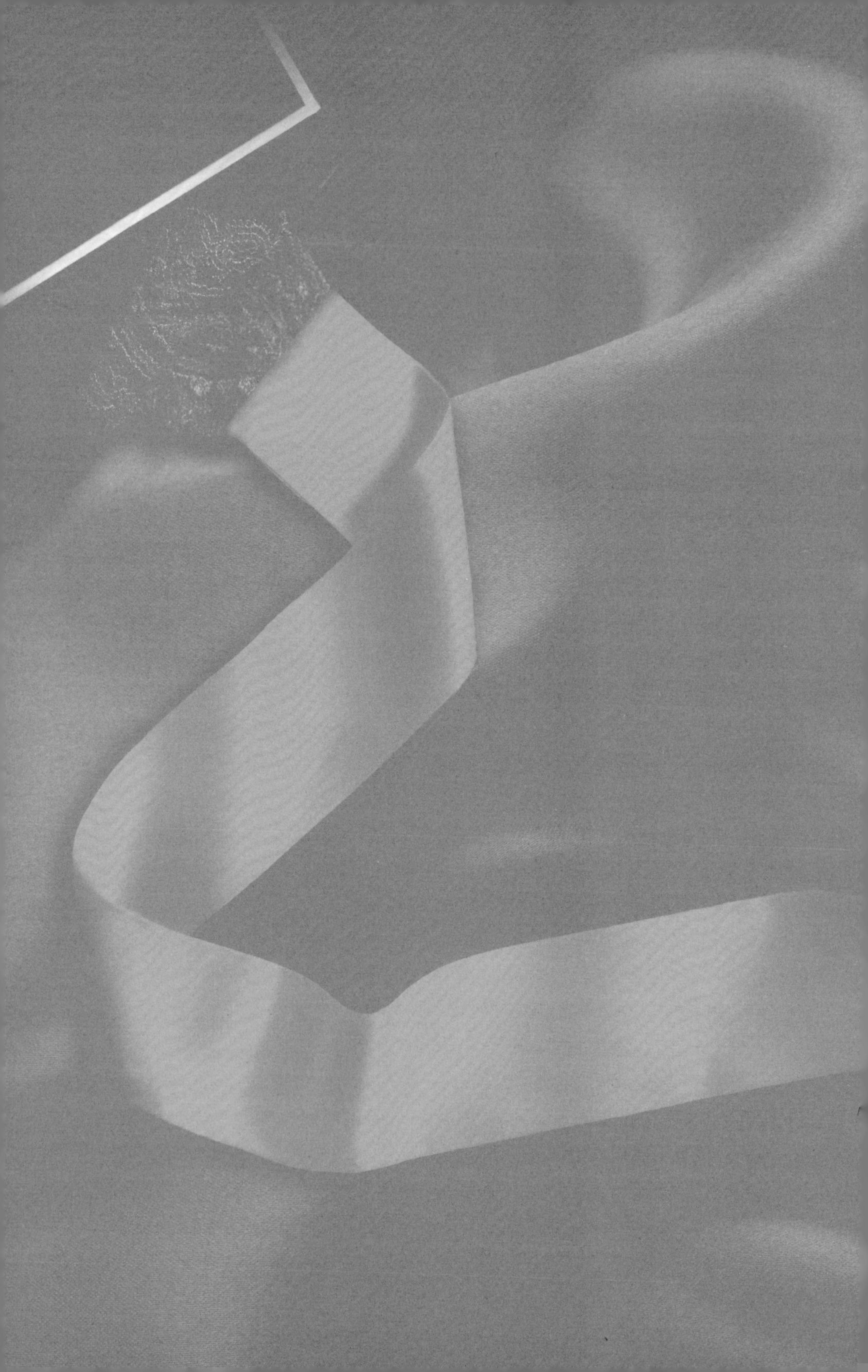

Parte 5

"O olho nada pode fazer a não ser ver.
Ninguém pode obrigar o ouvido a não ouvir.
O corpo sente, onde quer que esteja,
 Sem depender da nossa vontade."

– W. Wordsworth, 1847

– Eu me sinto surpreendentemente energizada, tendo em vista a presumível exaustão emocional. É como se Jeremy tivesse descoberto e cultivado um oásis no meu corpo, onde sempre pensei que houvesse um terreno inaproveitável. Meus poros parecem transpirar feromônios. Nunca me senti tão intensamente viva, tão sensual, tão mulher. No casamento com Robert, as sensações são mornas, quase frias. Mas como poderiam comparar-se à magnitude na escala Richter criada por Jeremy? Quem mais provocaria em mim tais abalos sísmicos emocionais? Os pensamentos são interrompidos pela voz de Jeremy, que pousa a mão no meu joelho.

– Se importa de conversar sobre alguns aspectos da minha pesquisa agora, durante a viagem de carro?

– Não, de modo algum.

– Só perguntei porque você parecia tão pensativa...

Sacudo a cabeça, para afastar os pensamentos, antes de responder:

– Por favor. Adoraria ouvir.

– Ótimo. Como já lhe disse, há um grupo de médicos e professores de várias partes do mundo pesquisando as conexões entre fisiologia e neuropsicologia, no que se refere à atividade sexual. Eu me interessei pela pesquisa porque estudo as ligações explícitas entre questões sexuais e depressão. Para encurtar a história, tive a sorte de encontrar Samuel no aeroporto de Hong Kong, há alguns meses, quando nossos voos foram cancelados, por causa das cinzas vulcânicas. Assim, tivemos oportunidade de discutir em detalhe os nossos trabalhos.

– Ah, isso explica por que ele estava tão bem informado sobre o que você vem fazendo.

– Então, quando se encontraram para almoçar, ele lhe contou? Falou da pesquisa sobre o orgasmo feminino, e das discrepâncias científicas e controvérsias médicas quanto à ejaculação?

Completamente absorvida pela fala apaixonada de Jeremy, apenas faço um gesto com a cabeça, dizendo que sim. Adoro esse seu lado profissional, e o trabalho dele me fascina.

— Acabamos analisando a possibilidade de desenvolver uma fórmula à base de serotonina natural que não tenha efeitos adversos sobre o equilíbrio químico do cérebro humano, de médio a longo prazo. Depois de muitos testes e análises em nossos laboratórios, descobrimos que existem potenciais ligações entre nossas áreas de pesquisa, conforme a situação, o que reduz significativamente a possibilidade de depressão, em especial no que diz respeito ao conceito de "brincadeiras para adultos". Isso indiretamente nos levou a analisar a secreção de fluidos do orgasmo feminino conforme o tipo sanguíneo.

— Uau, espantoso!

Este é Jeremy em sua melhor forma, o pesquisador reconhecido internacionalmente. Não posso deixar de admirar sua capacidade e o modo como sua mente divergente opera, encontrando soluções que escapam completamente a outros estudiosos. Ele está sempre disposto a explorar o improvável.

— Acreditamos na possibilidade de outra ligação, ainda não estudada em detalhe, relacionada a nossa discussão anterior.

Sinto uma ligeira hesitação na voz dele.

— A tal possibilidade envolve conectividade sensorial, caminhos neurais que podem existir entre o corpo e o cérebro, em relação à atividade sexual, e os hormônios correspondentes, que são secretados e liberados. Para concretizar nossos planos de experimentação, precisamos encontrar um psicólogo pesquisador. O seu conhecimento específico é altamente valorizado, em especial quando se trata de um projeto desta natureza. Nosso comitê avaliador me pediu especificamente para discutir o assunto com você e sondar o seu interesse na função.

Jeremy sabe que o tema me interessa, e que gosto de ser reconhecida profissionalmente. Ele está jogando bem, e seu senso de oportunidade é perfeito, como sempre, em especial diante das minhas atuais condições – pelas quais é responsável.

– Você é um homem inteligente, Jeremy.

– Obrigado. E você é uma mulher inteligente – ele diz com um sorriso na voz. – Se quiser mais informações, é só perguntar. Caso aceite, estará trabalhando diretamente comigo, com Samuel, Ed, quer dizer, com o professor Applegate, nos Estados Unidos, a dra. Lauren Bertrand, na França, uma química conceituada, o professor Schindler, um neurocientista alemão, e um ou dois profissionais do Reino Unido, ainda em processo de confirmação. Será preciso viajar, de vez em quando...

A voz de Jeremy some. Ele sabe que isso representou um problema para mim, em outra ocasião, e continua, sério:

– A sua adesão acrescentaria muito ao nosso trabalho, dra. Blake. Você tem sido altamente recomendada, e não é por ser minha conhecida. É a primeira opção do grupo para preencher a função. Pela nossa perspectiva, a sua palestra de sexta-feira confirmou isso.

– Céus, não sei o que dizer... Parece incrível, Jeremy.

Estou secretamente lisonjeada por meu nome ter sido lembrado, e feliz por ainda sermos capazes de uma conversa em termos profissionais, depois de tudo que fizemos nas últimas sabe-se lá quantas horas. Que oportunidade maravilhosa, trabalhar com tantos cérebros brilhantes em seu campo de atuação. Parece a realização de um sonho profissional. Penso em Elizabeth e Jordan. Estão mais crescidos, frequentam a escola em tempo integral e têm atividades e amigos próprios. Penso nas idas e vindas intermináveis: aulas de futebol, piano, dança, ginástica. As crianças hoje têm uma vida movimentada, e saberão lidar com as minhas ausências. Além disso, eventuais afastamentos podem ser estimulantes, e vai ser bom ter vida própria. O trabalho de Robert permite flexibilidade de horário. Abri mão de outras oportunidades por causa da família; talvez tenha chegado o momento de dizer sim. Como me sentiria, se deixasse escapar uma chance dessas?

– Vou ter prazer em participar. Conte comigo – eu completo, decidida.

– Sério? Ei, que bom! Uma pessoa como você no grupo com certeza vai fazer toda a diferença para as aplicações práticas das nossas análises.

"Ele está pródigo em elogios", penso.

– Obrigada, Jeremy. Fico satisfeita.

É como receber um prêmio por longo tempo de trabalho árduo. Estou absolutamente encantada.

– Só para esclarecer bem as coisas, espero que você se envolva pessoalmente no desenvolvimento conceitual e na aplicação das nossas teorias. Portanto, nada de ser espectadora, Alexa. Está entendendo?

Quando compreendo o significado do que ele acaba de dizer, meu estômago responde com uma verdadeira cambalhota.

– É mesmo?

Será que ainda quero isto?

– Não se produzem inovações nem se fazem descobertas revolucionárias sem desafiar convenções, e isso tem de começar por nós. A sua disposição de participar do estudo e de viver os dois lados do processo de experimentação será primordial para o nosso sucesso. Dependemos disso. Portanto, é uma condição inegociável.

De uma hora para outra, o amante se transforma no patrão. Incompreensivelmente, meu sexo dá sinal de vida, como que prevendo o que vem por aí. Epa! Os dois lados do processo de experimentação?

A viagem termina, e a conversa, também. Pensei que fôssemos demorar muito mais para chegar ao hotel. Em segundos, Jeremy abre a porta do carro e me ajuda a saltar.

– Aqui estamos. Como se sente?

– Um tanto chocada pelo seu último comentário. E cega, é claro. Afora isso, tudo bem.

Ele ri.

– Posso guardar o carro, senhor?

Por algum tempo só ouvi a voz de Jeremy, e me surpreendo ao ouvir uma voz diferente.

– Claro, obrigado.

Ouço o tilintar de chaves.

Jeremy me toma pela mão e me conduz por alguns degraus. Imagino que ele esteja observando minha expressão e espere que eu pergunte alguma coisa sobre onde estamos, mas me mantenho deliberadamente calada. Ouço uma porta se abrir.

– Olá, senhor, seja bem-vindo.

Uma alegre voz masculina nos recebe. Pena não haver um "bom dia", "boa tarde" ou "boa noite", para eu me orientar no tempo. Está todo mundo conspirando para me manter em total ignorância? Onde estamos agora? Tudo parece muito formal. Preocupada com a falta de visão em um ambiente desconhecido, levo instintivamente a mão aos olhos.

– Pare de se preocupar, Alex, você está ótima. Ninguém vai notar nada.

– Falar é fácil.

Seguro a mão dele com firmeza.

– Por favor, senhor, vá até a recepção. Já trouxemos a bagagem.

– Bagagem? – sussurro para ele, enquanto andamos. – Não temos bagagem!

Nossos passos ecoam na amplidão do cômodo. As solas de borracha das botas guincham pelo atrito com o piso de mármore.

– Bem-vindo, dr. Quinn. Estávamos à sua espera. É ótimo que tenha chegado no horário. Está tudo pronto. Siga-me, por favor. Se pudermos ajudar em alguma coisa, não se acanhe em pedir.

– É muita gentileza sua. Obrigado.

Assim que caminhamos alguns passos, alguém aperta o botão do elevador.

– Tiveram um bom dia até agora?

– Muito bom, e estamos ansiosos para nos instalar aqui.

– Ótimo, senhor. Esperamos que apreciem a experiência que temos a oferecer.

Eu me sinto em uma situação entre a mulher invisível e uma espinha gigantesca no rosto de alguém, que as pessoas cuidadosamente fingem ignorar. As borboletas do meu estômago despertam. Não me acostumo com elas... Embarcamos no elevador, e tenho a impressão de estarmos descendo. Sou conduzida para fora.

– Conforme combinamos, este andar está todo à sua disposição, e não haverá interrupções, a não ser os serviços contratados. Espero que aproveitem a estada.

– Muito obrigado. Vamos aproveitar, com certeza.

Ouço o elevador se afastar. Estou novamente em terreno incerto, desconhecido. A memorização da planta e da disposição dos móveis na suíte da cobertura me dava certa segurança.

Jeremy me pega pela mão e me acomoda em um sofá.

– Sente-se aqui e procure relaxar. Quer beber alguma coisa?

– Seria ótimo, obrigada – respondo aliviada.

Recebo um copo gelado. Coquetel de frutas. Iogurte cremoso com frutas batidas. Não era isso que eu esperava.

– Uma poderosa mistura de antioxidantes.

– Doente você não me serve de nada, Alexa. Preciso manter o seu sistema imunológico tinindo.

Estranho...

– Se importa se eu tomar um banho em seguida? Quero me livrar destas roupas.

– Quanto à primeira pergunta, me importo, sim. Quanto à segunda, vou ajudá-la.

Jeremy parece meio distraído, não sei por quê. Depois de pegar o copo da minha mão, ele abre zíperes e desabotoa aqui e ali. Que alívio tirar as roupas! Eu me sinto pelo menos cinco quilos mais leve.

Ele me ajuda a vestir uma camiseta e calça de ginástica. Ainda bem que não me deixou só com as tais calcinhas francesas. Estico as pernas e enterro os dedos dos pés no carpete fofo. É bom estar livre das botas.

Jeremy me leva de volta ao sofá e me devolve a bebida.

– E o banho?

– Eu disse que não é hora de banho.

A resposta autoritária me deixa confusa.

– Deve estar com a agenda apertada, não é, Jeremy? Eu não sabia que estava tudo cronometrado.

— Há muitas coisas que ainda não sabe, querida — ele sussurra no meu ouvido, com voz estranhamente grave.

Um arrepio me percorre a espinha de ponta a ponta.

— Sente-se confortável?

A voz dele está normal novamente.

— Ah, sim, muito melhor. Mas ainda gostaria de uma chuveirada.

Depois de encontrar e acariciar a coxa dele, continuo:

— Tem certeza de que não se convence de tomar um banho comigo?

Faço menção de me levantar, mas sou puxada de volta.

— Não. Fique sentada.

A ordem me surpreende. Com um tom um pouco mais delicado, ele completa:

— Sente-se, por favor. Precisamos concluir a nossa conversa, chegar a um acordo.

Beleza, eu preciso de um banho, e ele precisa de conversa. Resolvo desafiá-lo.

— Ótimo. Eu fedendo e você falando. Vou tomar banho.

Jeremy chega mais para perto de mim.

— Sabe que respeito você?

— Suponho que sim, a maior parte do tempo, pelo menos.

— Alex!

Interessante como ele pode ser autoritário com uma só palavra. Eu gostaria de ter essa habilidade. A conversa é séria, obviamente.

— Sei, tudo bem, sei sim.

— Quero brincar, criar emoção. Quero que vá a lugares aos quais nunca ousou ir. Quero proporcionar a você oportunidades de compreender a sua sexualidade de maneiras inimagináveis.

A pressão, novamente. A voz de Jeremy, insinuante e sedutora, me provoca ao mesmo tempo a mente e o sexo. Como ele consegue isso só com palavras? Preciso acalmar a respiração, para absorver a última frase.

— Nós brincamos juntos desde que nos conhecemos, Jeremy, e este fim de semana está sendo uma montanha-russa infinita de brincadeiras físicas, mentais e emocionais. Aonde mais você poderia me levar?

– Mas está gostando, não é? Você mesma disse!

Eu suspiro antes de responder.

– É, estou. Tanto quanto detesto admitir isso em voz alta. E sinto medo, ao mesmo tempo.

A conversa que tivemos no carro e as teorias sobre brincadeiras me vêm à mente.

– Você sabe que alguns psicólogos consideram a brincadeira talvez a mais poderosa fonte de alegria para um ser humano, pois combina diversão e medo. Muitos acreditam até que protege contra a depressão...

Paro de repente. Entendo, afinal. Estava tão seduzida por Jeremy, que custei a decifrar a charada.

– É por isso que você quer explorar melhor. É o que está fazendo, ao me manter em uma montanha-russa de prazer e medo!

– Exatamente, Alexa, parece que entendeu finalmente. Segundo o conceito, uma brincadeira "de verdade" é essencialmente um ataque de ansiedade provocado.

– É o que você vem me proporcionando desde sexta-feira. Se era isso que esperava, conseguiu.

Será que me falta entender alguma coisa? Tenho a impressão de que Jeremy fez questão de me manter na escuridão, tanto em sentido literal quanto em sentido figurado, e agora está revelando aos poucos o verdadeiro objetivo do fim de semana. As experiências pretendem que eu aprenda a lidar com o estresse – a "brincar", como ele diz. Ou não passo de uma peça em um jogo maior?

– Estou envolvido em estudos da amígdala, os grupos de células do cérebro especializadas no medo, e do mecanismo de retransmissão de mensagens aos lobos frontais.

Claro que está.

– E me interesso particularmente em investigar os circuitos de recompensa da dopamina e a liberação de substâncias químicas, como os soníferos. Nossa análise inicial de dados demonstra uma inesperada relação com o trabalho de Sam, sob a perspectiva do prazer. Por isso precisamos estudar o assunto mais a fundo.

Os comentários me lançam em uma nova curva de aprendizagem. A inteligência de Jeremy é cada vez mais notável.

– Devo admitir que nunca imaginei me sentir assim. Não me lembro de ocasião alguma em que tivesse corpo e mente mais alertas, mais estimulados ou mais despertos. Medo e prazer me tomam por dentro e por fora. Acho que você sabe disso.

– Fascinante. Quer dizer que está funcionando.

Ele parece perdido em pensamentos.

– O que está funcionando, Jeremy? Até onde você vai com isto?

– Fez mais duas perguntas, Alex.

Estou completamente exasperada, mas ele ignora minha exasperação.

– Quero brincar mais, testar os limites entre nós.

– Testar os limites. Quanto mais?

Minha voz sai exaltada, entrecortada. Mais perguntas!

– Ah, desculpe, eu não pretendia perguntar... – eu me corrijo, sem saber o que dizer.

Ele está fazendo de mim uma mulher cega, muda e submissa.

Oh, céus, outro momento de descoberta, e desta vez fecha-se o círculo. Claro que existe mais alguma coisa. E quando não é assim com Jeremy? Como pude ser tão ingênua? Minha tese! Ele quer realmente me levar a um lugar no qual nunca estive, aonde nunca ousei ir. Eu não deveria ter dado a ele uma droga de cópia da tese. Assim que dei, soube que podia me arrepender. Mas quem diria que aquilo viria me assombrar, passados tantos anos?

– Vou levar você mais longe do que já foi, mas saiba que sempre estará segura, bem cuidada.

– E quer que eu sirva de cobaia para a sua pesquisa, não é, Jeremy? Admita!

– Quero.

Fico um pouco chocada, por ele ter admitido tão prontamente.

– Preciso do seu corpo e do seu cérebro em ambos os lados da experiência, como já disse. Acho que estamos realmente às portas de descobrir uma cura, e você é uma das poucas pessoas que pode nos ajudar. O seu papel é decisivo!

– Claro que para mim seria interessantíssimo estar envolvida na descoberta da cura para a depressão, Jeremy. Quem não pensaria assim? Mas tenho perguntas a fazer, muitas perguntas. Você precisa entender isso.

Algumas me surgem imediatamente, como que para confirmar o que acabo de dizer... Pelo menos para mim.

Como quer testar limites?
O que isso significa?
O que é diferente, desta vez?
E se eu não quiser?
Como vou saber se estou em segurança?
Você está maluco?
Eu estou maluca?
Em que furada estou me metendo?

– Claro que entendo, querida. E eu lhe contaria, se pudesse, mas agora não pode ser assim. Por que acha que estabeleci essa condição para o fim de semana?

Merda, eu me joguei inteiramente nas mãos dele. As duas condições para o fim de semana: sem visão, sem perguntas. O que me provoca medo e ansiedade? Justamente essas duas condições! Talvez meu cérebro esteja mais lento, com a chegada da meia-idade. Por que não concluí isso antes? Ele construiu cuidadosamente a situação em que me encontro, e agora preciso decidir se vou assumir um risco pessoal em nome de um bem maior para a humanidade. Uma decisão que, pela primeira vez, vou considerar honestamente. E ele sabe disso. Vou continuar essa jornada de exploração da minha escuridão pessoal – uma jornada que até hoje não tive coragem de empreender? Jeremy é, realmente, o planejador perfeito.

Ele me assusta. Mas me excita. Devo correr o risco? Até onde ele quer que eu vá? Eu aguento? Não faço a menor ideia. Bebo um bom gole de coquetel de frutas, para não pensar na tensão crescente.

– Todas as suas perguntas serão respondidas na hora certa, prometo – ele diz delicadamente, como que lendo meus pensamentos.

Soa a campainha da porta, e Jeremy faz alguém entrar.

– A madame faria o favor de me acompanhar?

A pergunta me deixa paralisada. Não consigo nem descobrir se a voz é masculina ou feminina.

Jeremy percebe minha reação e me abraça.

– Vai ficar tudo bem. Logo eu me junto a você novamente, garanto. Vamos só nos trocar. Tomar o banho que você tanto quer.

– Por que não vem comigo? Ou vou com você?

Até eu me assusto com o tom de súplica da minha voz.

– Aqui é assim. Em dez minutos, mais ou menos, estaremos juntos novamente.

– Por favor, Jeremy, não me obrigue a ir!

Pareço uma criança no primeiro dia de aula, separada dos pais pela professora. Ele me levanta do sofá e entrega minha mão à mão macia da pessoa estranha, que me conduz para outro lugar.

– Já me encontro com você.

Sinto o olhar dele sobre mim, enquanto caminho hesitante. Não sei se está preocupado ou satisfeito por me atirar mais uma vez ao que parece a cova dos leões. Suspeito de que ele combine os dois sentimentos, o que é totalmente desconcertante.

Não havia necessidade de tanta apreensão. A pessoa estranha me leva por um longo corredor até uma sala aquecida. Minhas roupas são silenciosa e cuidadosamente retiradas. Enquanto uso o toalete, ouço água correr no chuveiro e sinto o vapor. Com um suspiro, molho o corpo inteiro. Fico algum tempo sob a água, até que alguém estica o meu braço e começa a esfregar. Diferentemente das mãos lisinhas e macias de hoje de manhã, o procedimento é vigoroso e desagradável. O outro braço recebe o mesmo tratamento, bem como as costas, o peito, a barriga, as nádegas, as pernas e os pés. Camadas de pele são removidas, e, embora o movimento pareça vigoroso, me sinto bem. É como se houvesse um propósito. Penso em gritar "Pare, isso machuca" ou

"Não estou assim tão suja", mas não faço nada. Apenas deixo que as mãos me esfreguem até completar a tarefa. É quase como se a remoção das camadas mortas da pele me desse uma sensação de plenitude. Isso me deixa limpa? Fisicamente sim. Emocionalmente, não passa da superfície.

Quando o chuveiro é desligado, sou envolvida por um roupão aquecido e incrivelmente macio. Permaneço imóvel, momentaneamente perdida no mundo desconhecido onde me permiti entrar. Sem saber bem o que acontece, sou guiada por alguns passos.

– Não foi tão ruim, foi?

Preciso de alguns segundos para tomar consciência de que, fiel à palavra empenhada, Jeremy está junto de mim.

– Não, não foi tão ruim. Onde estamos, afinal?

– Alexa, por favor, eu imploro, sem perguntas. Não aqui!

Parecendo mais ansiosa e aflita a cada palavra, a voz dele ecoa no cômodo.

– Está bem, está bem, vou tentar.

– Obrigado. Imagina onde estamos?

– Não mesmo. Os sons ecoam, mas são meio abafados. Ouço água pingando.

Espero que não haja ninguém, além de nós dois.

– Venha, sinta isto.

Jeremy me leva alguns passos adiante e põe minha mão em alguma coisa provavelmente feita de mármore. Ponho a outra mão e deslizo as duas pelo objeto.

– Parece um tronco.

Depois de escorregar as mãos um pouco mais para baixo, dou um sorriso.

– Ei, parece uma bunda! Não vá me dizer que estamos em um museu!

– Não, mas estamos cercados de estátuas.

Que estranho, acariciar uma escultura... Em um museu ou galeria, isso nunca seria permitido. Imagine tocar a estátua de Davi, em Florença.

– Venha para a parte da frente.

Deslizo as mãos cuidadosamente e encontro uma grande ereção. Não se trata de Davi, então. Fico sem graça, ao afagar todo o comprimento e a circunferência.

– Gosta?

– Prefiro você.

– Fico feliz em obter a confirmação. E este?

Jeremy me leva por mais alguns passos e coloca minhas mãos em outro tronco de mármore.

– Esta é mulher.

Eu me afasto imediatamente, mas ele me orienta a voltar: com as mãos dele sobre as minhas, pega os seios da estátua.

– É difícil para você?

– Até hoje só peguei os meus.

– São de mármore, Alex. Sinta o contorno. Por mim.

Sempre à frente de Jeremy, faço os dedos e a palmas das mãos deslizarem pela superfície da estátua.

– Prenda os mamilos entre o polegar e o indicador.

Eu me pergunto por que o gesto parece tão erótico.

– É isso que faço com você querida, só com palavras.

As mãos dele entram pelo roupão e pegam meus seios, para confirmar o que acaba de dizer. Meu baixo ventre vibra, concordando.

– Venha.

Jeremy me afasta das estátuas sensuais

– Deite-se. Preciso reaplicar as gotas nos olhos.

Ele me acomoda sobre uma superfície dura, parecendo uma prancha estreita de mármore. Obedeço, sabendo que aceitei as condições para este fim de semana, sem a resistência que causou tanta tensão e ansiedade.

– Obrigado.

O agradecimento parece sincero. Novamente ele segue os procedimentos para garantir que eu não enxergue. Desta vez, aceito com tranquilidade, mas instintivamente tento abrir os olhos. De tão pesadas, as pálpebras não se separam.

Continuo deitada, pela segunda vez à espera do efeito das gotas e do unguento. Jeremy me livra do roupão e estica meus braços acima da cabeça. Ele gosta dessa posição, para ter livre acesso ao meu corpo. Em seguida, lenta e metodicamente, posiciona minhas pernas, uma em cada lado da prancha, deixando-me aberta para ele. Parece tentar, com gestos delicados, compensar a cegueira que me impõe. Minha pulsação fica mais rápida. Ele trabalha meus mamilos: beija de leve, prende delicadamente entre os dentes e passa a língua em volta. Imagino que estejam tão duros quanto os da estátua. Como ele é bom nisso... A boca de Jeremy desce pela minha barriga. Com o corpo todo arrepiado, em resposta à delicadeza do toque, tenho dificuldade de pensar. A limpeza recente deixa minha pele altamente sensível. O desejo que sinto por ele é tão intenso, que parecem ter-se passado anos, e não horas, desde nosso último encontro sexual. Percebo que ele se abaixa entre as minhas pernas. Eu seria capaz de levitar. Silenciosa e delicadamente, Jeremy sopra para dentro de mim. A sensação é maravilhosa. Além do ar, nada me toca, até que ele se aproxima e, com a língua, entra no ritmo que criou para o meu corpo. A sensação é torturantemente maravilhosa. Sinto o fluxo de sangue pulsando pelo corpo, que se apronta para receber o homem que desejo como nunca.

Então, não mais que de repente, ele para. Fico sofrida, insatisfeita, decepcionada. Puxo o rosto de Jeremy para mim e beijo seus lábios desesperadamente.

– O que está fazendo? Não me deixe assim! Eu quero você, preciso de você!

A cabeça gira, o coração palpita.

– Tudo a seu tempo, querida. Quero você mais tesuda do que nunca.

– Mais? Não é justo!

Chego a fazer beicinho, como criança.

– Sei que não é justo, MB, mas a espera vai valer a pena. Prometo.

Como, diabos, ele exerce esse tipo de controle? E por que eu não tenho o mesmo poder?

Jeremy me põe de pé. Minhas pernas tremem como geleia, tentando pressionar o sexo intumescido e não satisfeito. Ele me pega pelas mãos e, muito lentamente, caminha alguns passos, até que eu recupere o equilíbrio. Sinto os pés pisarem em água morna. Ele põe o dedo indicador sobre meus lábios, pedindo silêncio e impedindo que novas perguntas me escapem da boca.

Estou completamente nua. Não conto nem com a venda nem com os óculos escuros, para me proteger; tenho apenas as pálpebras seladas. Espero que não haja ninguém por perto. Jeremy me guia por uma rampa, e a cada passo penetro na tepidez da água. Ele me pega no colo. Sinto-me um bebê sendo banhado carinhosamente. Apesar de relaxante, o ambiente me desperta uma ponta de apreensão, um mau pressentimento, que afasto de imediato.

– Relaxe, solte-se, para absorver a experiência.

Não discuto.

Jeremy orienta meu corpo, até me fazer flutuar. Maravilha. Por algum motivo, tenho a impressão de que ele quer purificar, preparar meu corpo para um propósito maior. Minha mente é tomada por imagens de cerimônias de batismo a que assisti. Penso no simbolismo contido no ritual da água purificadora. O fato de estar flutuando, cercada de silêncio, consolida a ideia. A água em choque com a borda provoca o único som audível. É como se estivéssemos em algum casulo líquido mágico. Que lugar é este, afinal?

Flutuar é maravilhoso. Percebo que Jeremy flutua ao meu lado, nesta estranha piscina. Imagino que, visto de cima, ele lembre uma versão do homem vitruviano, segundo a interpretação de Leonardo da Vinci. Bonito... A temperatura da água parece em perfeita harmonia com a temperatura do cômodo, criando um efeito surreal de volta ao útero materno. Passamos a alternar entre duas piscinas: uma muito quente, que de início me deixa meio tonta, mas parece divina quando o corpo se acostuma; e uma fria, que limpa e revigora, fazendo o coração bater mais forte e bombear o sangue mais rapidamente, como que a indicar que estou viva. A variação de temperatura me estimula a circulação, e minha pele absorve avidamente os sais minerais, restaurando o equilíbrio vital. O silêncio me agrada, me ajuda a recuperar a paz de espírito e a calma, depois da intensa movimentação a que sou submetida, desde que fui ao encontro de Jeremy, para um drinque "inocente" – ao que parece, há uma eternidade.

A intuição me sugere furtivamente que a versão anterior de Alexandra Blake desapareceu quando concordei com a cegueira, e que devo aceitar o processo ritualístico de renascimento a que sou submetida. No entanto, não me permito insistir na ideia.

Ao deixarmos as piscinas, sou protegida por uma toalha. Minha sensibilidade à flor da pele fica mais evidente quando sou deitada de bruços, com cuidado, sobre uma superfície acolchoada e tenho as costas massageadas fortemente, a partir das omoplatas. Então, estou sobre uma mesa de massagem. Jeremy com certeza cuidou para que estas últimas horas fossem perfeitas, a não ser pelo orgasmo abortado.

Quando a toalha que me cobre é retirada, um cheiro forte de laranja e mel invade minhas narinas. Levanto um pouco a cabeça, para confirmar o doce odor cítrico. Volto a deitar a cabeça depois que meus cabelos são reunidos na nuca e afastados do corpo. Uma substância grudenta é despejada sobre a depressão formada na cintura, e a massagem começa de fato. A partir das extremidades, sou completamente envolvida pela mistura viscosa.

Deixo a mente viajar. Sei que quanto mais penso na situação, mais estressado meu corpo fica, o que não é nada bom quando mãos fortes amassam o tecido muscular para desmanchar tensões. Procuro me concentrar na respiração, e consigo... por alguns instantes. Minha mente quer esclarecer a necessidade sentida por Jeremy, de me manter cega e sem perguntas durante o fim de semana. A lógica adotada por ele faz sentido em parte; não posso negar que experimentei uma sobrecarga sensorial. Quanto às emoções, não sei se estou indo ou vindo. Eu deveria relaxar e me entregar. Afinal, adoro uma boa massagem, e esta é maravilhosa. Estou ficando mole e macia como o creme que penetra nos meus poros. O que me prende? Sinto que Jeremy ainda me esconde alguma coisa. Seria justo arriscar um relacionamento como o nosso por causa de uma fantasia frívola e, por vezes, assustadora? Ainda que Jeremy faça parte da fantasia... Ainda que eu me sinta sexualmente disposta e sensual como nunca... Nosso relacionamento é maior do que este fim de semana?

A realidade interrompe subitamente meus pensamentos. Vários braços me pegam e me deitam de costas sobre a superfície acolchoada. Mais laranja e mel caem sobre minha barriga, que, assim como o peito, logo é trabalhada por mãos menores. Estremeço quando as mãos passam sobre meus mamilos, mas me controlo imediatamente, convencendo-me de que é só *massagem*. As mãos acompanham o ritmo da respiração, e a massagem continua. Os pensamentos também.

Jeremy estava certo. Faço perguntas demais. Elas parecem se multiplicar como vírus. Meu corpo renuncia a qualquer semelhança com carne e osso, quando é tratado como argila por aquelas mãos incansáveis. De todo modo, o que poderia eu fazer agora? Tentar ir embora? Nem sei onde estou! A respiração logo fica mais rápida, quando penso nas consequências de estar aqui e na realidade de tentar uma fuga. É isso que eu quero? No fundo, sei que quero ficar, mas tenho medo de sentir na pele o que Jeremy me preparou. Dane-se ele, por me fazer isso; por me forçar a alcançar uma conclusão que parece impossível. Sou tão fraca assim? Pela vida toda me apeguei inabalavelmente a valores que me garantem estabilidade, significado e determinação, e jogo tudo fora por um fim de semana de luxo e irresponsabilidade? É só isso? Ou trata-se de uma pesquisa realmente importante?

Minha mente implode sob o peso dos dilemas morais. Resta apenas o torpor. O corpo fica inerte, sem resistência. Sou uma água-viva à espera da corrente, para saber aonde vai. Mental e emocionalmente exausta, estou agora fisicamente dócil, como Jeremy quer. Deixo que a mente mergulhe na escuridão, e que se dissipe a fútil aflição dos meus pensamentos.

Lampejos de lembranças perturbam meu estado de sonolência. Memórias felizes: as crianças ainda bebês, festas de aniversário, carinhas sorridentes, meu filho explicando que me ama 800 milhões, bilhões, zilhões de vezes mais do que o universo; e minha filha dizendo que vai se casar comigo, e com ninguém mais, e viver ao meu lado para sempre. Uma após a outra, as lembranças dos filhos atravessam meu subconsciente. Tempos simples, descomplicados. E por que, nessas visões, Robert aparece isolado, com ar infeliz? Eu não havia reparado. As imagens mostram muito de mim, no dia a dia, mas parecem incompletas. Por que a linguagem corporal de Robert demonstra que lhe falta alguma coisa?

Minha conversa interior começa a fugir ao controle. Jeremy falou da possibilidade de explorar minha fantasia secreta, a que serviu de base à tese que defendi, anos atrás, e que nunca revelei, a não ser a ele, muito superficialmente. Tenho coragem o bastante? Só se for com Jeremy, e ele está me oferecendo sua experiência em uma bandeja pessoal e profissional. E se eu disser não, quando sempre quis experimentar, só para conhecer e entender a fantasia de uma vez por todas? Devo deixar tudo no campo da fantasia, ou sinto necessidade e desejo de vivenciar a situação? Minha mente parece meio confusa, perdida, incapaz de administrar a complexidade dos pensamentos, enquanto me entrego às mãos mágicas de quem me aplica a massagem.

O som de uma engrenagem se movimentando me faz recobrar a consciência, e só então percebo que estou me movendo; deitada e em movimento. Tento mexer as pernas, mas estão pesadas e relaxadas demais. Tento novamente.

– Fique quieta, por favor. Não vai demorar.

Falo com dificuldade, em voz estridente:

– O quê? Aonde vamos?

Devo ter cochilado. Por minutos? Horas? A engrenagem para.

– Madame, está acordada? Posso ajudar? – uma voz feminina pergunta.

Minha polidez natural vem à tona.

– Ah, sim, obrigada. Por quanto tempo eu dormi?

Mãos delicadas me fazem sentar. Um roupão mais aveludado e grosso do que o anterior é colocado sobre meus ombros. Reparo que não há lugar para enfiar os braços. O tecido cai bem sobre a pele macia, sem resíduo algum dos produtos usados na massagem.

Nenhuma resposta. Será que todo mundo foi instruído a não me responder?

– A madame gostaria de um chá?

Chá, que surpresa!

– Madame gostaria, sim – respondo com certa aspereza.

Em seguida, porém, lembro as regras de boas maneiras e completo:

– Seria ótimo, obrigada. Pode me dizer onde Jeremy... quer dizer, o dr. Quinn está?

Nada. Não sei se ele está perto de mim ou não. Se é que faz sentido, devo dizer que não sinto a presença dele. Em todo caso, chamo:

– Jeremy? Se estiver aí, responda, por favor. Precisamos conversar...

A angústia na minha voz cresce a cada palavra.

Típico de Jeremy; quando precisamos conversar, ele desaparece.

A xícara de chá quente é depositada cuidadosamente na minha mão. O cheiro delicioso, de camomila com um toque de baunilha, me acalma e distrai. Bebo um pequeno gole, para não queimar os lábios. Perfeito. Os músculos relaxados me fazem achar pesada a xícara muito fina. Somente quando acabo de tomar o chá, percebo as correias em torno dos pulsos. Alguém pega a xícara na minha mão, e assim tenho a oportunidade de examiná-las melhor. Parecem feitas de couro, com uma pequena peça metálica acima e abaixo, que tilinta ao menor movimento. Droga!

– Jeremy!

Silêncio.

Procuro descobrir onde fica o fecho das correias, mas não encontro. Será que também foram feitas por encomenda? Sinto a pulsação acelerada. Percorro meu corpo mentalmente, em busca de outros objetos estranhos. Tenho nos tornozelos uma versão mais larga das correias, com certeza. Sinto os joelhos trêmulos. Em uma atitude desafiadora, procuro uma abertura ou fivela. Nada. Prenderam isso enquanto eu dormia?

Fico ainda mais surpresa quando sinto uma correia sendo ajustada ao pescoço, com um som estranho. Preciso de algum tempo para me acostumar ao "acessório" e respirar normalmente. Neste também há dois pingentes de metal barulhentos, um na frente e outro nas costas. Estou petrificada. Era a isso que Jeremy se referia, ao falar em brincar mais, testar os limites. Por que ele quer fazer tais experiências comigo? Procuro me acalmar. "Como se eu não soubesse que isso aconteceria, de um jeito ou de outro." Parece que não vai demorar. Oh, céus. A descarga de adrenalina é mais intensa do que no momento que saltei do avião. A corporalidade das minhas emoções é tão fascinante quanto surpreendente. Real, intensa, vital. Estou preparada para interromper o processo agora, quando minhas reações parecem tão instigantes?

Quais são as alternativas? Posso falar. Posso gritar. Talvez devesse fazer isso agora mesmo. Mas não faço. Ainda me lembro do que aconteceu no jantar, e de nada adiantou. Felizmente Jeremy me ignorou por completo, porque a tensão sexual foi gratificante demais, a longo prazo. A simples lembrança desperta minha energia sexual. Com certeza, valeu a pena enfrentar meus medos, para receber recompensas tão extraordinárias.

Tudo deve ser parte de um plano magistral. Jeremy me deixou agitadíssima, e nada de excepcional aconteceu, a não ser aquela massagem maravilhosa e as tiras de couro presas ao meu corpo. Ele me faz sentir e experimentar coisas imagináveis, provocando uma reação de amor e ódio. Cada batida do meu coração é importante. Vou fazer isso por ele, pela pesquisa e por mim. Vou ser forte, e talvez – quem sabe? – me liberte. De quem? De quê? De mim mesma, possivelmente...

Estou disposta a sentir a verdade na pele, em vez de ser mera espectadora?

Fico calada, enquanto tenho os pulsos presos atrás do corpo.

Continuo calada, quando um capuz de veludo cobre meu rosto.

E sigo calada, ao ser conduzida pelo corredor, arrastando os pés descalços pelo tapete macio. Como em uma cerimônia, estranhos sem rosto me guiam até o destino. Nem eles usam de força nem eu ofereço resistência. Quantos são? Não faço ideia. Sinto a energia, não a quantidade.

Sou obrigada a confrontar a dura realidade e me perguntar honestamente, de uma vez por todas, se confio em Jeremy. Imagino a vida sem a presença sedutora, atraente e instigante dele. Claro que confio! Minha vida em preto e branco fica colorida com ele. No entanto, estaria faltando à verdade, caso não reconhecesse sua habilidade em criar extraordinários dramas psicológicos, como este que vivo agora. Meus pensamentos são interrompidos por uma voz de barítono.

– Tragam-na!

Sou levada.

Fortes mãos masculinas erguem meus braços.

– Tirem o roupão.

O roupão é tirado.

Minhas pernas são separadas.

A vida é estranha. Passamos anos e anos desenvolvendo a autoestima, aprendendo a sermos pessoas melhores, aperfeiçoando o conhecimento... Para isto? A confiança construída ao longo do tempo, uma camada de cada vez, pode ser reduzida a nada em questão de segundos.

Aparência, atitudes, comportamentos, salário e formação nada significam quando se é despida, privada do sentido da visão e marcada nos tornozelos, pulsos e pescoço, com símbolos de escravidão.

Dois dedos penetram na minha vagina com tanta habilidade, que a mente se cala de imediato, e sou tomada pela realidade. A surpresa da invasão me faz cambalear para a frente, mas sou amparada. Minha respiração fica mais rápida.

O que me resta de vitalidade? O que me resta de dignidade humana?

Se eu tivesse um pênis, aconteceria agora uma ereção?

Sinto-me escorregar para um vazio psicológico, um lugar da minha psique onde nunca ousei entrar. Alice deve ter vivido uma experiência semelhante, ao escorregar para a toca do coelho. Devo continuar a jornada.

— Repare nisto — a voz de barítono diz.

Reparar... Estou mesmo do outro lado da experiência. Quem poderia adivinhar que, um dia, eu me encontrasse aqui, aceitando este tipo de violação? Nem em um milhão de anos.

— Deixem-na em posição.

Sem protestar, sem enxergar. Sou posicionada de joelhos. Submissão total.

Alguma coisa longa, fina, lisa e fria desliza sob meus seios. Respiro fundo. Tal como o arco de um violino, vai e vem, primeiro embaixo, depois em cima e, por fim, sobre os mamilos, como se ajustasse a afinação ao meu corpo. A sensação é lenta e ritmada, e agradeço por estar de joelhos. Os mamilos endurecem, enquanto calafrios me descem pelas costas. Com regularidade e elegância, o arco passa então a tocar minhas coxas, provocando uma excitação tão intensa, que não contenho um grito, só de pensar no que virá em seguida. É meu corpo sendo preparado para a brincadeira.

— Humm... Ela reage instantaneamente, J, como você disse. Excelente.

J... Jeremy? Ele falou de mim com os outros? "Claro que sim. Não estou aqui?"

— Jeremy, fale comigo.

Minha voz sai mais suave do que eu esperava. Acho que fiquei calada por tempo demais.

A voz de Jeremy finalmente se faz ouvir, atrás de mim. É um alívio saber que ele está tão perto.

— Sim, Alexa, estou bem aqui.

Reconfortada, aninho o rosto no peito dele.

— É isso mesmo que quer de mim? Quer que eu experimente?

— Nunca quis tanto uma coisa na vida — ele responde com delicadeza e sensualidade.

— Verdade?

— Quero que reconheça e aceite todas as suas emoções, sabendo que são parte de você, parte da sua sexualidade. Não vou abandoná-la. Vou cuidar de você. Confie em mim e entregue-se por inteiro ao processo. Renda-se a mim e à experiência. O medo será compensado pelo prazer. Só você pode decidir, aqui e agora, se continuamos ou não.

Como Jeremy pode estar falando ao meu clitóris, e não ao meu cérebro?

Lágrimas brotam dos meus olhos cegos. Não consigo mais controlar a intensidade das emoções. Devo ceder a esse desejo natural que me persegue há anos, e dizer simplesmente "sim"? As lembranças dos momentos que vivemos juntos dançam na minha mente. A tensão. As brincadeiras. Estímulo. Provocação. Domínio. Submissão. E nosso gosto por esses papéis. Ele quer testar limites. No fundo, sei que também quero descobrir até onde vão esses limites, e somente a ele entregaria tal poder.

– Vamos continuar.

A decisão é um alívio. Solto um longo suspiro, por haver decidido afinal sucumbir ao destino; ao destino que Jeremy criou para mim.

– Obrigado. Você não vai se arrepender. Prometo.

Ele levanta o capuz do meu rosto e me dá um beijo carinhoso.

– A partir de agora, não vai mais poder falar. Quer dizer alguma coisa antes disso?

Balanço a cabeça, fazendo que não. A consciência de que vou penetrar em território desconhecido me assusta terrivelmente, mas ao mesmo tempo me excita demais. Ele me abre a boca e borrifa na língua e na garganta uma substância com gosto de laranja que provoca dormência. Não resisto a testar a eficácia do produto. Nenhum som. Além de cega, estou muda.

– Na posição, por favor.

Braços fortes me pegam do chão, como uma boneca de pano, e me depositam em um local mais alto. Uma plataforma? Nem parece que existe a Lei da Gravidade. Novamente fico de joelhos, imóvel, de pernas separadas, e sou fixada ao piso macio pelos tornozelos, com ajuda das tiras de couro. De braços presos atrás, não tenho como me movimentar.

É isso que quero. Preciso entender aonde vou ser levada. Não resisto. Presa ao chão, sem ver, sem falar, sem me mexer. Sou livre apenas para sentir medo, excitação, vergonha e desejo, que penetram em cada célula, enquanto a ansiedade faz o corpo vibrar. É peculiar e fascinante a coexistência dessas emoções.

A voz de barítono volta a se manifestar:

– Temos alguns pontos a esclarecer, antes de continuar.

Ah, esqueci. Devia ter acrescentado à lista que sou livre para ouvir.

– Façam um novo exame, por favor.

Os dois dedos penetram outra vez na minha vagina, demorando-se um pouco mais. O corpo responde, mas o impacto é menos óbvio, devido à posição.

– Ótimo, vamos prosseguir.

Sou tomada pela estranha sensação de ter viajado no tempo e estar participando de um antigo rito de passagem sexual.

– O sujeito não precisa concordar com o que digo. J responde por ela. É importante, porém, que ouça as especificações antes de ter bloqueado o sentido da audição.

Sinto o peito subir e descer a cada respiração.

– Dr. Quinn, o sujeito lhe permitiu suprimir nele o sentido da visão por 48 horas?

O sujeito. Deixei de ser uma pessoa.

Pausa.

– Sim.

– O sujeito está ciente de que seu comportamento durante o período tem implicações?

– Sim.

– E foi informado de que haveria consequências para cada pergunta?

– Sim.

– Acredita que o sujeito compreendeu essas exigências?

– Sim.

– Finalmente: discutiu com o sujeito nosso programa de pesquisa, e ele concordou em participar?

– Correto.

É isso. Eu me entreguei a ele, a eles. Só não entendo a razão desse processo mentalmente tortuoso.

– Excelente trabalho. Posso afirmar categoricamente que ela é perfeita para o programa. Estou ansioso pela análise dos resultados.

Uau, *feedback* positivo! Jeremy deve estar satisfeito. Será que isso tudo o deixa excitado?

– Vamos analisar as consequências das atitudes dela. Quantas perguntas ela fez, no total?

Antes que eu ouça a resposta, tampões são colocados nos meus ouvidos. Oh, céus, serviço completo. Silêncio total, cegueira total, mudez total e exposição total. Nunca entrei em estado de choque, mas imagino que seja parecido com o que sinto agora. Completamente despida... de tudo! Entorpecida, parada no tempo. Não conto com informações sensoriais para prever ou evitar o que está para acontecer. Resta o tato, pelo menos.

Algo semelhante a um capacete é encaixado na minha cabeça. De início, parece estranho e um pouco pesado, mas concluo que deve ser algum dispositivo para monitorar a atividade neural no cérebro. Eis o elo que faltava: sou a cobaia humana. Primeiro, tento controlar os pensamentos; depois emitir um grito em silêncio. Quero testar o dispositivo, ver se vai fazer alguma diferença quando houver a análise dos resultados. O inusitado da situação dificulta o entendimento.

Meus pulsos são liberados e presos de novo, desta vez à frente. Os braços são esticados acima da cabeça. "Chega, por favor." Enquanto alguém firma meus quadris, o corpo é forçado a se dobrar sobre uma barra acolchoada até as mãos chegarem ao piso. Em seguida, sou presa pelos pulsos e pelo pescoço. A posição me deixa com o peito mais baixo do que as nádegas. Imagino os seios balançando ao ritmo da respiração, agora acelerada, como que para lembrar que tudo isso é realidade, e não sonho. As mãos que me ajeitavam na posição desaparecem. As restrições a que sou submetida não dependem do toque de seres humanos.

As batidas do coração disparado me chegam fortes aos ouvidos.

Será um ataque cardíaco? Que posição para morrer... Antes que eu assimile por completo a possibilidade de uma falha do coração, meu corpo resiste à entrada de dedos ainda mais invasivos. Os mamilos endurecem, e o ânus se contrai. A pressão mais forte e a demora na exploração me fazem parar de respirar. Toda a região fica aquecida quando a vagina se lubrifica, ansiosa para receber também o toque. Meus ouvidos parecem a ponto de explodir, com a palpitação. Expiro com força quando os dedos se recolhem, deixando um surpreendente vazio.

Então, nada. Só o coração batendo.

De repente, recebo uma cintada rápida e forte na bunda, e me contraio.

Acontece de novo.

Mantenho a respiração suspensa.

Outra vez.

Preciso respirar.

Os golpes são rápidos e sucessivos. Eu inspiro ao ser atingida pela cinta, mas o susto não me permite expirar. Há um choque entre meu grito silencioso, que tenta deixar a garganta, e o oxigênio que precisa chegar aos pulmões. A cabeça gira em turbilhão.

A sensação é inteiramente nova: nem dolorosa nem indolor. Suficiente apenas para agir sobre a superfície do corpo durante um ou dois segundos. Começa e acaba. Completamente dominada, estou ofegante. Um creme refrescante é aplicado com tal delicadeza, que chego a lastimar a mudança de intensidade. Estou emocionalmente esgotada. Posso mesmo suportar isto? Talvez, se trabalhasse a tese agora, o resultado fosse bem diferente.

Então, recomeçam os golpes – acima, abaixo, no centro, em volta. Perco a conta.

Meu mundo gira devagar. Estou dividida.

O corpo se curva e se contrai, entre o desespero e o desejo, na tentativa de fugir ao impacto dos golpes implacáveis. Eu me contraio, mas as nádegas se mantêm firmes, como que a pedir mais. Será isso?

Tenho o quadril bem posicionado, quando os dedos invasores escorregam sem esforço para dentro da vagina, em uma nova expedição exploradora. A vibração da parte inferior do meu corpo sugere um chamado. Sinto a vulva intumescida, como se recebesse uma visita há muito esperada. Estou úmida e cheia de desejo. Pela demora, imagino que o dono dos dedos esteja cuidando para que a informação seja registrada.

Os dedos se vão, e vem o creme refrescante, aplicado por mãos que deslizam suavemente. O ânus vibra, tentando imitar o ritmo. Sinto brotarem lágrimas de alívio pela carícia. O que está acontecendo comigo?

Sossego total. Eu respiro. E soluço.

Escuridão e silêncio me envolvem.

Somente então percebo que quero mais.

As tiras que prendem meus tornozelos são retiradas. Sinto as pernas trêmulas. Os joelhos são afastados um pouco mais, os tornozelos, realinhados, e os quadris posicionados de acordo. Ai, meu Deus. Será correto chamar Deus em um momento tão sexualizado? A barra é elevada um pouco, tornando a entrada do ânus um alvo bem mais óbvio, se possível. A essência da minha feminilidade, a porta física que leva ao meu santuário, sendo exibida, apontada, manipulada publicamente, para ser examinada por sabe-se lá quantas pessoas nesta plateia sádica. Eu sou mesmo esta pessoa?

Por mais que acelere os batimentos, meu coração não acalma a ansiedade pelo que está por vir.

Um golpe. Uma pausa. Uma sensação refrescante, suave sobre a superfície que recebeu o golpe.

De novo. Golpe. Pausa. Alívio.

Golpe. Pausa. Alívio... Estabelece-se um ritmo que meu corpo começa a prever e desejar. Eu me preparo para o contraste, mas sou deixada com a sensação de dor. Vibro à espera do efeito. O foco muda para a parte interna das coxas, com um golpe mais brando, mas extremamente excitante.

Eu quero mais.

Preciso de mais.

E recebo mais.

A combinação de dor e prazer me confunde a mente, o corpo não tem escolha, a não ser deleitar-se com a encenação.

Tudo cessa. Eu suspiro. Depois de tantas sensações concentradas no traseiro e nas coxas, custo a perceber que alguém belisca e aperta de leve os meus mamilos. O efeito vai direto à região da virilha. Alguma coisa é passada pela minha cintura, levando o corpo para mais perto do chão, embora a bunda ainda esteja acima da barra. Todas as amarras são verificadas e ajustadas. Em seguida, algum dispositivo preso aos mamilos começa a emitir uma corrente suave. O corpo tenta se soltar. Eu grito em silêncio. Quando me acostumo à sensação, porém, parece que os mamilos estão ligados ao clitóris, em um triângulo sexualmente energizado. Um formigamento me aquece o corpo, e a dor se transforma em uma vibração agradável, estimulante. O que estão fazendo comigo? Eu me tornei um objeto sexual, talvez a ser descrito futuramente em alguma publicação.

A corrente continua, trazendo a dor penetrante para a frente do corpo. Então, volta o prazer, embora brevemente. E vem a dor. Meu corpo deixa que controlem a alternância entre essas sensações extremas com o simples acionamento de um interruptor. Sou o cachorro de Pavlov.

O corpo, acostumado à sensação que combina dor e prazer, demora a notar que ela foi substituída novamente por um suave latejamento que flui pelos mamilos. Os dedos se insinuam além da vulva e adaptam alguma coisa que emite uma vibração perto do clitóris – tão perto, que fico paralisada, de apreensão e desejo. Minha vulnerabilidade é absoluta. Lenta e constantemente, a intensidade da vibração aumenta. Chego a transpirar de ansiedade. Os dedos ignoram o clitóris e demoram-se explorando a vagina e o períneo. Se não estivesse segura, eu cairia. A excitação arrebatadora eleva a temperatura, e meu corpo é como cera derretida, presa em um molde.

Agora, sinto dedos habilidosos, que procuram me proporcionar prazer. Minhas portas se abrem, convidando-os a ir mais fundo. Minha garganta sem voz quer gemer, de pudor e desejo, enquanto imploro à minha mente que se mantenha alerta. Os dedos localizam dimensões inexploradas. O períneo, o ânus, nada é ignorado no processo. Oh, Deus! Ih, lá vem a palavra de novo... Eles mexem, apertam, investigam e brincam, como que monitorando e analisando o efeito de cada toque. Tento desesperadamente controlar as reações, dominar as sensações, mas reações e sensações são espíritos livres, que não se deixam vencer. Os dedos encontram uma posição e, com cuidado, constância, ritmo e intensidade, provocam explosões sucessivas nos meus músculos. Penso se uma pessoa pode ser forçada a ter um orgasmo. Será que quero gozar diante de uma plateia? E tenho escolha?

Oh, céus...

As vibrações se intensificam nos mamilos e no clitóris, enquanto a mente é tomada pelo desejo e pelo prazer. Minha capacidade de controlar o que quer que seja se perde em um buraco negro. Embora presa ao solo, sinto cada vez mais tênue a minha ligação com a realidade. Nuvens de tempestade se formam no horizonte, ameaçando aniquilar minha mente e levar meu corpo à rendição definitiva.

Eu me concentro.

Os dedos agem.

Eu resisto.

Eles vibram.

Fico paralisada.

Eles alcançam.

Eu me abandono.

Eles dão prazer.

Eu gozo.

Ponto para eles.

O próximo segundo me apresenta à mais incrivelmente intensa e poderosa sensação que já experimentei na vida. O impacto começa nos mamilos e percorre o corpo a uma velocidade extraordinária, coincidindo com a penetração simultânea da vagina e do ânus, bem lubrificados. Eu me lanço com tal disposição contra o aprisionamento do meu corpo, que tenho a impressão de estar livre das amarras e ir de encontro ao teto.

Perde-se toda a noção de tempo. Meu cérebro racional encerra oficialmente as atividades, transferindo o controle à mente sensorial, que libera a expressão de todos os sentimentos e sensações. Sou lançada à estratosfera.

Entrega!

Liberdade!

Puro... êxtase... sensual...

Vibrações emanam do âmago do meu ser, em uma avassaladora e interminável série de ondas de prazer.

O arrebatamento toma o meu corpo.

Estou vibrando, pulsando... Será exagero?

Posso suportar mais?

Espero que sim...

A vibração continua, mas em ritmo mais suave. Não vou desabar, como uma tora na cachoeira.

Aos poucos, minha mente se recupera. Os tampões são retirados dos ouvidos, e braços fortes me liberam das amarras. Posso me levantar.

Como um *marshmallow* gigante no fogo brando, estou deitada sobre algo largo, macio e aquecido, que acomoda perfeitamente todos os meus movimentos. É bom poder me esticar, me sentir livre.

Um toque agradável entre os seios me traz de volta. Que coisa boa...

Agora, é nos dois seios. Sinto o sangue fluir para os mamilos.

Que erótico... Eu suspiro longamente.

O toque se transforma em manipulação delicada, mas são ritmos diferentes, intensidades diferentes.

Sinto nos lábios alguma coisa morna e úmida. Difícil escolher um lugar para prestar atenção.

Uma língua penetra lentamente na minha boca. A sensação é ao mesmo tempo estranha e familiar, como se a outra pessoa estivesse de cabeça para baixo. Estremeço levemente, sob a pressão suave, mas continuo a ser lambida, chupada, por várias línguas. É, Jeremy, valeu mesmo a pena. Fantasia alguma seria comparável a esta realidade. Só não consigo imaginar como seria assistir a isso.

Enquanto a boca e os seios são trabalhados, minha atenção é atraída por um toque muito leve que vem subindo em cada coxa. As pernas se abrem, para que o avanço não seja impedido. Pode entrar. É realmente divino.

Tapinhas, apertos, massagens, mordidas na medida exata. Tudo tão perfeito, que dá vontade de gritar. Há muito o que sentir. Deixo que o corpo absorva a intensidade do desejo que trago em mim.

A língua que está mais abaixo chega à entrada e explora minhas profundezas intensa e cuidadosamente, como se examinasse joias preciosas, à procura de algo raro e valioso. Chego a perder o fôlego. Língua e lábios lambem e mordiscam incansavelmente. Ao localizar o que procura, a língua penetra como um míssil a caminho do alvo. Línguas de outras bocas intensificam a atuação, aumentando a energia.

O desejo ameaça devorar meu corpo, quando as línguas se multiplicam, na busca frenética de um lugar para penetrar mais fundo, com mais vigor, mais depressa. Ouvidos, boca, pescoço, peito, umbigo, vulva, dedos das mãos, dedos dos pés, pulsos, tornozelos, joelhos, axilas – parte alguma do meu corpo fica intocada.

Chego a me curvar, de tanto desejo. Línguas, lábios e dentes parecem instigados pelo meu movimento. Preciso de descanso, mas prefiro que continuem. Mil vezes. Eles acompanham o ritmo do meu coração acelerado, como uma batida tribal. A paixão violenta incendeia minha alma e integra-se à essência do meu corpo. Pulsamos em uníssono, levando o sangue e o desejo do orgasmo às regiões mais afastadas do ser e girando em direção a um ponto de imobilidade total, como o olho do furacão.

Sem batimentos.

Sem pulsação.

Sem pensamentos.

Sem memória.

Mergulho no abismo profundo do arrebatamento.

Então, tudo se inflama e ruge, em um violento e impressionante fluxo de pura energia que explode, lançando-se como se o centro do meu ser fosse o Monte Vesúvio em erupção sobre Pompeia.

A unidade do meu mundo se desfaz e arrasta tudo...

Meu corpo se agita, em reação a uma série excitante de explosões eróticas... Como nunca aconteceu... Como nunca julguei possível...

Pulsando, pulsando, pulsando por todos os orifícios do corpo, a lava líquida que escorre faz minha pele brilhar.

Uma onda após a outra de intenso e sublime prazer...

Criando fluxos orgásticos de energia...

Como se eu jamais tivesse alcançado um verdadeiro orgasmo...

Quanto tempo isto vai durar?

Ninguém pode ouvir meu longo grito gutural.

Busco desesperadamente respirar, como uma recém-nascida para o sexo que precisa com urgência de oxigênio para sobreviver.

Finalmente relaxo e me deixo envolver pela sensação de êxtase total. Com um suspiro de liberdade e satisfação, deixo este mundo para experimentar um enlevo divino... Sou a deusa do sexo do universo...

***

– Oh, Alexandra, você é maravilhosa. Você nos surpreendeu.

– E superou a nossa expectativa.

– Além de todas as projeções.

Há alguém falando? Não sei, nem quero saber...

Estou muito longe...

Só sei que as vibrações pelo meu corpo são realmente inacreditáveis! Estou absoluta e completamente abalada.

– Alexa, está me ouvindo? Tudo bem? Beba isto aqui.

Cheiro delicioso de chocolate quente. Alguém ajuda, e eu me sento. Estou sobre algum tipo de cama firme, com lençóis macios de algodão.

– Cuidado. Está quente.

A xícara chega aos meus lábios.

A bebida, de um gosto maravilhoso, desce aquecendo meu peito.

– Jeremy...

Minha voz não passa de um sussurro.

– Não se esforce. Isto vai melhorar sua voz. Beba um pouco mais.

Termino a bebida.

– Agora, acomode-se. É compreensível que esteja exausta. Hora de descansar.

Ele me faz deitar novamente, me cobre com uma colcha e me ajeita na cama confortável. Realmente, nunca me senti tão exausta.

– Durma, querida, conversamos mais tarde. Você ultrapassou os meus sonhos mais ousados.

Ele me beija delicadamente nos lábios e afaga minha testa. Vou entrando em um estado de subconsciência. Sonhar... Parece boa ideia.

– Tudo bem aqui. Missão cumprida, pelo menos por enquanto. Bom trabalho, dr. Quinn.

– Só falta acabar de arrumar as nossas coisas.

– Lembre, J, que as próximas 24 horas são críticas, e que a situação deve ser cuidadosamente monitorada por três ou quatro dias. A confidencialidade é primordial. Ela não deve ver nem falar com ninguém, a não ser você. A concorrência vai se matar, para ter acesso a estes resultados.

– Claro, sem problema. Tenho tudo sob controle.

– Muito bem, cavalheiros. Até a próxima vez. Nossas expectativas foram superadas. Vamos esperar os resultados completos. Mantenha-nos informados.

– Com certeza.

Uma porta se fecha.

Há vozes à minha volta, mas não entendo o que dizem. Estou meio zonza. Ouço vagamente um motor vibrar sob mim...

E mergulho em total estado de inconsciência.

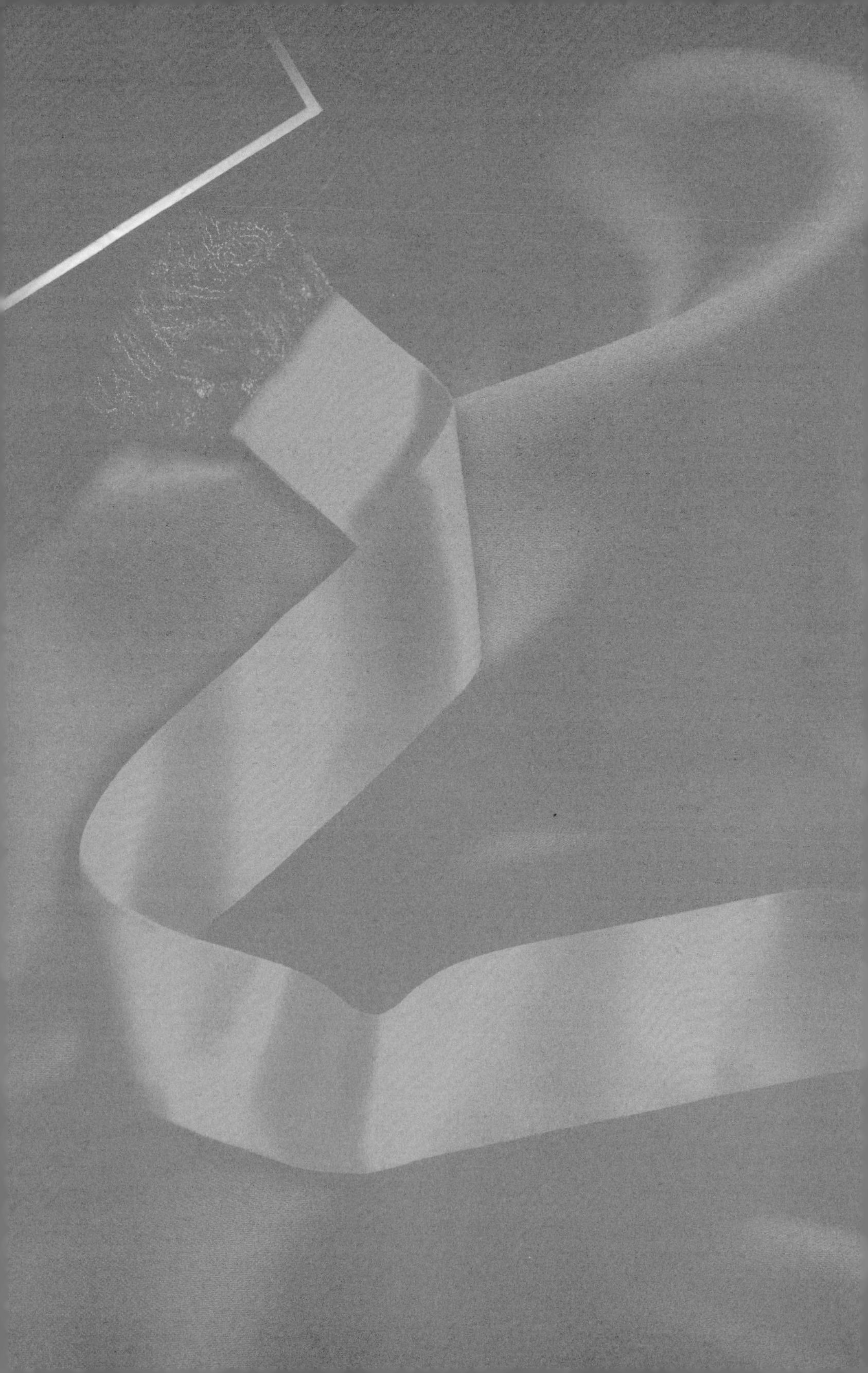

Parte 6

"A magnitude de uma sensação é proporcional ao logaritmo da intensidade do estímulo que a provoca."

– Lei de Fechner, 1860

Meus dedos tateiam ansiosamente o espaço em volta. Encontram luxo, maciez. Exploram uma elevação sedosa e encontram o ápice. Curvo-me de prazer. O que é isto que descobri? Um seio?

Fecho a mão em concha para sentir melhor e noto que o bico fica mais rígido. Logo encontro outro. Faço a mesma coisa.

Que interessante... Sensíveis ao toque...

Continuo a brincadeira, sem vontade de parar.

Outra mão se une delicadamente à minha.

– Gostoso, não?

É a voz de Jeremy.

Sem jeito, retiro a mão imediatamente. Pensei que estivesse sozinha.

– Desculpe, não sabia que estava aí.

– Não tem por que se desculpar, Alex. Pode tocá-los à vontade. São seus.

Percebo um sorriso na voz dele, o que me faz lembrar que estou cega. Braços fortes me envolvem carinhosamente.

– E é claro que estou aqui. Eu disse que cuidaria de você.

Meu raciocínio parece vago, disperso.

– Eu sonhei?

Sorrio para mim mesma. Ah, sim, fantasias e sonhos maravilhosos, como nunca tive. Meu corpo reage instantaneamente à lembrança. A intensidade das sensações vibra dentro de mim.

– Está se sentindo bem?

Há urgência e preocupação na voz de Jeremy.

– Estou... Mas não sei bem o que aconteceu... Onde nós estamos?

Uma súbita pontada nas nádegas me faz instintivamente interromper as perguntas.

– Shh... Relaxe. Você passou por muitas coisas.

Ainda confusa, decido que é a melhor opção. Enquanto me aninho no peito firme de Jeremy, levo a mão aos olhos, confirmando a presença da venda de seda.

– Ela ainda está aí, querida. E vai ficar mais um pouco.

Ele beija minhas mãos, mantendo-as longe do rosto, e me cobre com um edredom.

Escuto a voz de Jeremy ecoando no peito, mas não entendo as palavras. Ele tanto pode estar contando uma história, como lendo um poema ou um artigo de jornal. Meus pensamentos dispersos se acalmam; parecem nuvens fofas flutuando no céu azul. Eu me sinto em estado de graça, satisfeita em estar aquecida e segura ao lado de Jeremy. Com um ouvido, ouço as batidas do coração dele e, com o outro, talvez a chuva martelando a vidraça. Eu me concentro nesses sons, e não no que ele diz. Afinal, consigo entender:

– Está com fome ou sede?

Ótima ideia.

– Tem chocolate quente? Me aquece de dentro para fora.

– Claro. Vou providenciar.

O movimento brusco de Jeremy se reflete no colchão, e agarro o braço dele ansiosamente, com medo de cair.

– Tudo bem, querida, não vou embora. Só vou pegar a bebida. Procure não se mexer muito.

– Eu me sinto estranha, muito pesada...

Pelos ruídos, parece que ele está na cozinha, o que não combina com um quarto de hotel.

Jeremy volta e põe uma caneca na minha mão, mas não consigo suportar o peso.

– Deixe que eu cuido disso.

Ele leva o líquido quente à minha boca.

– Ah, obrigada. Você faz um ótimo chocolate quente, Jeremy.

Imagino a cena: eu vendada, com Jeremy e uma caneca de chocolate, depois de tudo que fizemos. É como se ignorássemos a presença de um elefante dentro do quarto. Por alguma razão, a ideia me provoca um ataque de riso que parece liberar toda a tensão.

Jeremy me toma a caneca, antes que eu deixe cair.

– O que é tão engraçado?

Ofegante, entre espasmos, tento explicar, mas não encontro as palavras. Agora é ele quem ri, provavelmente de mim. Não me importo. Há anos não ria assim. Dói, mas é bom. Os olhos chegam a lacrimejar. Procuro me conter, para respirar melhor. Vou acabar me urinando. Chego para a beirada da cama e, na tentativa de me levantar, desabo no chão.

No mesmo instante Jeremy está ao meu lado.

– Oh, meu Deus, Alexa! Machucou?

– Ba... Ba... Banheiro – consigo dizer.

Ele me pega no chão e me faz sentar na privada. Mais um segundo, e seria tarde demais. Aproveito para acalmar os músculos e respirar fundo. Jeremy parece muito preocupado. Por que será? Somente então me dou conta de que enxergo a imagem dele, embora pouco nítida. Maravilha!

– Estou enxergando! Ainda está escuro, e não vejo direito, mas você está aí, na minha frente! – eu comemoro. – Quando... Como... Já se passaram 48 horas?

– Mais ou menos. O efeito final das gotas está sumindo mais rapidamente por causa do seu ataque de histeria. Além disso, a venda escapou dos seus olhos, quando você caiu da cama. A sua visão vai estar perfeita em poucas horas.

A informação me tranquiliza, mas saber que nosso tempo juntos está terminando me entristece. É estranho... Parece que acabo de abrir os olhos no meio de uma caverna, e só vejo o que está bem na minha frente.

A imagem borrada do rosto de Jeremy me deixa insegura e me faz lembrar que, se não for amparada, posso cair. No entanto, perturbada por ser vista em tal situação e confiando na recém-recuperada independência, eu me enxugo e me levanto para lavar as mãos. Ao primeiro passo, as pernas dobram. Bela independência...

– É por isso que estou segurando você, querida! Ainda não se recuperou completamente!

Ele me envolve com os braços e me conduz ao lavatório. Sua expressão me faz sorrir.

– Estou bem, não se preocupe. Só preciso de um tempinho.

Jeremy ergue os braços, em um gesto de falsa rendição, o que considero um sinal positivo. Com muito esforço, eu me inclino sobre a pia, e lavo as mãos e o rosto. Quando me volto, querendo ficar de frente para ele, as pernas falham novamente. Ainda bem que ele me segura a tempo.

– Que diabos... Não entendo...

– Chega. Você não é capaz de tomar conta de si. E eu estou aqui para isso – Jeremy fala com firmeza.

Assim, sou despachada do banheiro de volta ao quarto e instalada cuidadosamente no meio da enorme cama.

Por alguma razão, a incapacidade me provoca outro acesso de riso, e não consigo sequer levantar a cabeça para protestar. Somente então me convenço de que, por algum tempo, minhas pernas não são confiáveis. Pela expressão de Jeremy, é melhor eu ficar quieta.

– O que eu faço com você?

Pelo menos a pergunta vem acompanhada de um sorrisinho.

– Não acha mais correto perguntar o que você *fez* comigo?

Minha mente começa a raciocinar com mais clareza.

– Tem razão. Sei que há muito o que explicar.

– Concordo.

– Por que não me conta o que consegue lembrar?

O velho truque de Jeremy para me fazer tomar a iniciativa. Como se lesse meus pensamentos, ele acrescenta:

– Alex, querida, sabe que sempre fui honesto com você.

– É... Às vezes honesto até demais.

Como não tenho energia para discutir, deixo a mente passar em revista as lembranças do fim de semana. O que me vêm não são imagens claras, mas emoções. Não há impressões visuais; uma avalanche de sensações me percorre o corpo. Estranho... Provavelmente meu cérebro ainda não está pronto para esse tipo de esforço.

– Consigo recordar que senti medo, excitação, vergonha, e uma combinação de dor e prazer de tal modo homogênea, que não sei qual das duas sensações é mais intensa. Senti também desejo sexual e uma energia poderosíssima, como se a própria força vital circulasse pelo meu corpo. Mas tudo me parece meio nebuloso...

Sinto o rosto corar, enquanto falo desordenadamente. Com ar compreensivo, Jeremy me afaga os cabelos e ajeita as cobertas, para que eu fique confortável. Ele está sendo muito atencioso.

– O que há de errado com a minha cabeça, Jeremy? Não consigo pensar direito.

– É o sedativo. Deveria ter sido eliminado em 24 horas.

– Você me deu um sedativo?

– Para o seu organismo ter tempo de se recuperar. Estava no primeiro chocolate que tomou, antes de virmos para cá. Eu deveria ter lembrado que você é muito suscetível a esse tipo de medicamento. Talvez o efeito demore um pouco a desaparecer.

Minha cabeça gira, enquanto lembro um fato distante.

Eu estava em Londres, e tinha ido com amigas a um bar em Kings Cross. Lá, começamos a conversar com uns desconhecidos. Depois do primeiro drinque, me senti estranha e meio tonta. Preocupadas, as meninas chamaram Jeremy. Os rapazes desapareceram assim que viram um homem chegar, e por isso achamos que tivessem acrescentado alguma coisa à minha bebida. Eu estava totalmente grogue; não conseguia ficar de pé, nem lembro o que aconteceu em seguida. Foi assustadora a rapidez do efeito do remédio.

Acordo no dia seguinte, no apartamento de Jeremy. Ele me sacode de leve e resmunga alguma coisa que não entendo. Como ainda sinto muito sono, viro de lado e adormeço novamente. Acordo pela segunda vez quando ele me traz chá. Ao esticar a mão para pegar a xícara, noto que tenho o braço rabiscado de azul, vermelho e verde.

Tento lembrar os acontecimentos da noite anterior, mas nada me vem à mente. Mau sinal. Deixo a xícara sobre a mesinha, para inspecionar meu corpo embaixo do lençol. Estou despida e coberta de linhas, setas e círculos naquelas mesmas cores, como um código. O sorriso provocador no rosto de Jeremy indica que o padrão se repete nas costas.

– E então? – eu pergunto, à espera de uma explicação.

Ele pula na cama ao meu lado, como um cachorrinho brincalhão.

– Bem, Alex, você ficou fora do ar por muito tempo. Eu estava entediado, mas não queria me afastar. Então, para não perder tempo, decidi estudar.

Eu o fuzilo com o olhar, enquanto ele continua:

– Como se vê, valeu a pena.

Ele arranca o lençol, para que eu me veja por inteiro. Pareço um mapa rodoviário malfeito.

– Quer dizer, valeu a pena para mim. Faltou muita coisa, mas marquei músculos, órgãos, artérias...

Ele me olha, atrevido, e fala rapidamente, ilustrando a explicação e apontando com elegância as partes mencionadas.

– Passei a 1 centímetro do seu apêndice. Fiquei chateado, mas as outras marcações são bem precisas. O sistema nervoso está todo aí: plexo braquial, plexo lombar... As mais importantes artérias do sistema circulatório e os órgãos do sistema digestivo também, embora eu talvez tenha errado o duodeno por pouco. Lamentável. Com os principais componentes do sistema linfático está tudo bem. O sistema reprodutor feminino foi bem divertido. Claro que tomei cuidado para não marcar especificamente a vagina, os pequenos lábios e o clitóris, mas consegui apontar os grandes lábios e o ânus, por exemplo... Isso não pareceu perturbar você nem um pouco...

– Chega, chega, já entendi – eu interrompo, tentando me livrar dele. – Vamos encerrar por aqui.

Jeremy começa a beijar as partes a que se refere.

– E então, os meus lugares favoritos, aqueles que nem todo mundo conhece...

Sinto o corpo pesado, incapaz de enfrentar a leveza e a suavidade dos beijos sensuais com que, gentil e insistentemente, ele me traz de volta à vida. Não resisto. A raiva se dissipa quando o aluno de Medicina, estudando Anatomia, se transforma em amante, estudando a minha anatomia. Deixo que ele brinque com o meu corpo, como um manipulador de bonecos. Seu toque mágico transforma a minha carcaça de madeira em um ser sexualmente disposto. Como sempre acontece entre nós.

Sou trazida de volta ao presente pela súbita conclusão de que absolutamente nada mudou, daquele tempo para cá. Basta ver o estado em que estou agora e a determinação de Jeremy em usar meu corpo para seus estudos. No entanto, cada coisa a seu tempo.

– Tenho uma palestra... Que horas são?

Olho ansiosamente em volta, à procura de um relógio, mas a escuridão é quase completa. Ou o problema é com a minha visão? Nem sei se é dia ou noite.

– Tudo bem. São só 20 horas.

– Meu Deus, Jeremy, como pôde? Daqui a 12 horas tenho uma apresentação no Conselho de Medicina, e nem consigo ficar de pé! E muito menos pensar direito! Entende como isso é importante para mim, para a minha pesquisa? Eles são os meus maiores críticos, e você me deixa neste estado! Céus, onde está o seu senso de responsabilidade?

– Alexa, por favor, acalme-se. Não precisa se preocupar.

Eu o interrompo com veemência.

– Para você é muito fácil, dr. Quinn. A sua carreira não depende disso. Obviamente não precisa de mais capital, está muito bem de vida.

Ao dizer isso, aponto a suíte, mas a falta de controle dos músculos torna o gesto ridículo. Eu continuo, assim mesmo:

– Não é você que tem de ficar diante do conselho, expondo as suas necessidades a profissionais altamente qualificados e altamente críticos, loucos para desacreditar, e não apoiar, o meu trabalho. Você nem sabe o que é se sentir assim... É o messias da Medicina!

Trêmula, tento chegar à borda da cama. Preciso de água, café, qualquer coisa que me deixe sóbria rapidamente. No entanto, mais pareço um leão marinho encalhado tentando alcançar um pinguim muito ágil.

— Pode fazer o favor de ficar deitada? Ou quer ser amarrada de novo? Vai ser pior para você.

Chego perigosamente perto da beirada da cama, mas estou determinada a impedir que Jeremy arrisque o futuro da minha carreira. Ele precisa entender.

Ele corre e fica ao lado da cama, para não deixar que eu caia ou fuja, não sei. Continuo com meus movimentos de leão marinho.

— Espero que as minhas roupas estejam no *closet*.

— Quer sossegar um momento, por favor?

A voz dele soa tão irritada quanto eu estou, por causa da lentidão de movimentos.

— Não, Jeremy, não quero.

Convencida de que ele não vai mesmo me ajudar, chego à beirada da cama e uso as duas mãos para pegar e depositar no chão o peso da perna.

— Ah, por que insiste, quando sabe que não vai conseguir?

Jeremy agarra meu tornozelo, evitando que caia no chão, e rapidamente encaixa o conector ao meu pulso. Somente então percebo que ainda tenho tiras de couro presas aos braços e pernas. Que falta de sorte... Com habilidade, ele faz o mesmo do lado esquerdo, prendendo o pulso ao tornozelo. Em seguida, desloca meu corpo para o centro da cama, virtualmente impossibilitando qualquer movimento, e me cerca de travesseiros. Pelo menos posso ficar sentada, já que deitar nesta posição seria, no mínimo, perigoso. Felizmente pratico ioga.

— Dane-se você. Não pode me prender aqui. Não sou seu brinquedinho. Por que ainda estou com estas correias?

— São ótimas, não acha? Poupam muito tempo e energia... Se eu tivesse umas assim nos tempos de universidade, imagine como iria me divertir...

– JEREMY! Não tenho tempo para a hora da saudade!

Minha garganta arde, de tanto gritar com ele.

– Está certo. Agora pode ficar quietinha e me deixar explicar?

– Presumo que isto seja uma afirmativa, e não uma pergunta. Até parece que tenho escolha! – respondo asperamente.

– Não, não tem.

Embora contrariado, Jeremy parece satisfeito, quando se acomoda ao meu lado. Só posso me resignar e desejar que a explicação seja curta.

– Antes de mais nada, devo dizer que você não vai a parte alguma.

Com um sinal, ele se antecipa ao meu protesto, mas eu finjo não ver.

– Preciso ir. Tente entender!

Estou entrando em desespero. Quero explicar que a reunião é importante, significa muito para mim. Irritada, luto contra as amarras e começo a transpirar.

– Jeremy, é da minha carreira que estamos falando. Eu estudei e trabalhei demais. Você, mais do que ninguém, sabe disso.

Ele fica de joelhos sobre a cama, de frente para mim, para me prender melhor com o próprio corpo, e cobre a minha boca com a mão.

– Vamos ver se me faço entender. Você não sai deste quarto sem a minha autorização. Como médico ou seja lá o que for.

Desta vez, ele cobre minha boca *antes* que eu diga algum desaforo. Será que sou tão previsível? Devo ser.

O quarto começa a girar... Tudo fica estranho... desfocado... vago...

***

Há uma luz muito brilhante sobre o meu olho, e alguém verifica a minha pulsação e pressão arterial. Tento levantar a cabeça, mas não consigo.

– Já pegou a veia? Esta medicação intravenosa tem de ser aplicada *agora!*

– As veias dela parecem fugir! – diz uma voz de mulher.

– Me dê aqui.

Sinto uma picada na mão.

– Pronto. Cole o esparadrapo. Querida, está me ouvindo? Olhe para mim. Sou eu, Jeremy.

– O... O que aconteceu? O que é isto?

Olho em volta e vejo solução intravenosa, monitoramento, enfermeira.

– Graças a Deus. Fique calma. Está me ouvindo? *Está me entendendo?*

– Não... Acho que não estou entendendo... Não estou entendendo nada...

– Claro que não, querida, você não me deixa explicar...

– A culpa é minha?

– Eu não quis dizer isso. Fiquei tão preocupado... Você desmaiou.

Devo ter adormecido, porque abro os olhos e acho o quarto brilhante, o que me faz lembrar nossa conversa interrompida pelos procedimentos médicos.

– É de manhã? Jeremy, eu perdi...

Ele procura falar calmamente:

– Não há nada a perder. Não existe reunião no Conselho de Medicina.

– Você cancelou? Minha única chance? – pergunto, incrédula.

– Não, querida. Tente manter a calma. Eu exagerei. Você está exausta. Nunca houve reunião do conselho. Tudo foi organizado para que tivéssemos tempo suficiente juntos.

– O quê?

– Você não tem palestra alguma até o fim da semana. A única foi aquela de sexta-feira à tarde.

– Como? Não entendo...

Estou cansada demais.

– Há muita coisa para ser entendida, mas não se preocupe agora. Pense apenas em descansar, que é o mais importante.

– Nenhuma palestra... Todas canceladas... Será que a primeira foi tão ruim? Você disse que foi boa...

Eu me sinto muito fraca. Estranhamente, sou tomada pela insegurança.

– Foi ótima. Você sabe disso. Feche os olhos e descanse.

Jeremy acaricia meu rosto e faz um sinal para alguém atrás de mim.

– Não, Jeremy, não posso. O que aconteceu? Por que estou assim? Eu devia... A apresentação... Por que essa medicação?

A realidade desaparece.

***

Acordo com um sorriso no rosto, ao perceber que a visão voltou ao normal. Onde estou? Minha cabeça confusa custa a registrar que Jeremy me olha com expressão ansiosa, sentado em uma poltrona no canto do quarto. Em segundos, ele está ao meu lado.

– Estou só checando os seus sinais vitais – ele explica, antes que eu diga alguma coisa. – Como se sente?

A luz penetra no meu olho. Tento virar a cabeça, mas não consigo.

– Confusa, mas já estive pior – falo com voz rouca. – Isto é necessário? – pergunto ao ver a agulha espetada na mão.

– No máximo em uma hora eu explico tudo. Antes, precisamos verificar algumas coisas.

Ele infla o aparelho de pressão no meu braço, que, ainda sensível, dói um pouco.

– Então, definitivamente não há palestra hoje?

– Não!

Percebo que não é o momento de perguntar por quê. Sempre foi difícil desviar a atenção de Jeremy, quando se concentra em uma tarefa. Ele suspende o lençol, e reparo que um tubo sai do espaço entre as minhas pernas. Eu me encolho.

– Ai, não, por favor!

– Isto? É só o cateter – ele explica com naturalidade.

E depois de cobrir novamente minhas pernas, para me poupar da visão, continua, com ar profissional:

– Vai sair quando tirarmos a sonda.

De repente, desejo que a medicação me faça dormir novamente.

– Muito bem. Não está perfeito, mas não está mal – ele fala mais para si mesmo do que pra mim. – Está com sede?

Faço que sim, ao sentir a boca seca.

– Enfermeira!

Enfermeira? Poderia ser mais embaraçoso?

Jeremy ergue a parte superior do meu corpo e leva a água aos meus lábios com extremo cuidado.

– Não se preocupe, eu não vou quebrar.

– Quem decide isso sou eu.

Ele ainda está profissional. Acho mais seguro não discutir, além de me faltar energia para isso. Deixo escapar um longo suspiro.

– Não gosto desses tubos, Jeremy. E não suporto nada ligado a hospital.

– Eu sei, querida, só mais um pouquinho. Preciso cuidar para que seja medicada corretamente, e temos mais um teste a fazer, por precaução. Não posso deixar que corra risco algum.

Minha cabeça gira mais uma vez.

– Teste? Risco? De desmaiar?

Será que pareço tão confusa quanto me sinto?

– Nada que justifique a sua preocupação. Vou cuidar muito bem de você, prometo.

– Jeremy, você está me assustando. Por que me trata como uma criança? De que está falando?

Ele encosta a testa na minha e me beija de leve.

– Você foi maravilhosa, perfeita. Digamos que, com a sua conectividade neural, os resultados da nossa experiência abriram um novo caminho de pesquisa ligado ao sistema límbico.

Ele desliza os dedos entre meus seios e delicadamente contorna meu umbigo. Depois passa entre as pernas com cuidado, para não deslocar o tubo, e faz uma espécie de massagem mágica nas minhas partes secretas.

Seu toque, suas palavras provocam uma revolução dentro de mim. O prazer intenso vem em ondas. Não sei por que reajo instantaneamente. Ele parece ter um controle remoto que aciona meu clitóris. Eu me esqueço completamente de perguntar o que quer que seja. O soro, o cateter, a enfermeira... Nada faz sentido.

Volto à realidade quando Jeremy entrega à enfermeira uma pequena amostra, que ela pega, saindo apressadamente em seguida. De repente, sinto vontade de me entregar. Não quero mais lutar. Jeremy pode fazer o que quiser. O alívio é enorme. Procuro fugir à intensidade do olhar dele, e fecho os olhos ao sentir lágrimas grossas escorrendo pelo rosto.

– Está emocionada, Alex. Sinto muito. Foi demais para você, e teve consequências. Prometo explicar tudo direitinho. Só descanse um pouco. Deixe que eu tomo conta.

Não consigo falar. Prefiro ficar de olhos fechados, mergulhada na cegueira contra a qual me rebelava horas antes. Silenciosa e mansamente, as lágrimas rolam. Sinto o olhar de Jeremy a me observar, tentando entender e descobrir as vulnerabilidades que escondo sob a superfície da mente e do corpo. Não tenho aonde ir, não tenho camadas protetoras e não quero me esconder dele nunca mais. Gosto da ideia de sabê-lo conhecendo intimamente e entendendo meus segredos, agora tão expostos. Quero estar disponível para ele; que me estude e experimente quando e como quiser. Aqui, deitada ao lado dele, completamente despida, nunca me senti tão poderosa nem tão carente de seu poder sobre mim. Estou incrivelmente orgulhosa de, por alguma razão, ter sido escolhida para esta empreitada.

Sinto-me uma criança. Jeremy passa os braços pelos meus ombros e, com cuidado para não deslocar a borracha do soro, me aninha em seu peito. Não existe outro lugar onde eu quisesse estar neste momento. Ele enxuga delicadamente as minhas lágrimas e me beija as pálpebras, até o choro cessar.

Estou mais cansada do que se tivesse passado por um longo trabalho de parto. Nunca pensei que os olhos e o rosto de Jeremy me emocionassem tanto. Ele disse que queria me ver desabrochar como uma rosa, experimentar novas sensações, e fez exatamente isso. Física e emocionalmente, explorou recantos que nem eu conhecia. Não quero mais lutar, não preciso saber de mais nada, não tenho medo. Sei e entendo que, embora tenha me forçado a ultrapassar os limites que estabeleci pra mim mesma, ele vai cuidar de mim com desvelo enquanto eu estiver sob sua responsabilidade. Sempre foi e sempre será assim. Entrego-me por inteiro. Por alguma razão eu sei, do fundo da alma, que o acontecido e o que está por vir fogem inteiramente ao meu controle. Por algum estranho motivo, sou tomada por uma poderosa sensação de liberdade, exatamente como ele disse que seria.

Não sei quantas vezes nem por quanto tempo adormeci e acordei. Lembro-me vagamente de Jeremy indo e vindo, verificando alguma coisa. Felizmente não vi a retirada do cateter nem da sonda. Não sei que horas são nem se é dia ou noite. Ainda me sinto incrivelmente cansada, mas cada vez que recupero a consciência tenho a impressão de estar em um lugar mais claro. Bom sinal.

***

Abro os olhos e sorrio para Jeremy, deitado ao meu lado. Ele me retribui o sorriso.

– Ah, acordou, seja bem-vinda! Vou ter de virar você de bruços, querida, para cuidar do seu belo traseiro.

Ele acende uma única luz no quarto escuro.

– Oh, não, o médico ataca novamente! – resmungo em protesto.

– Fique quietinha. Ainda está um pouco dolorido, mas vai sarar logo.

– E eu tenho escolha?

– Nenhuma. É bom que tenha entendido, finalmente.

Não está dolorido, apenas sensível. Não posso deixar de pensar que Jeremy exagera um pouco. Enquanto ele cuida do meu traseiro, sinto o estômago roncar. Estou absolutamente faminta, o que só pode ser uma indicação positiva.

– Não se mexa. Falta um último exame de sangue, e já vai poder comer.

– Último? Quantos foram?

– Este é o quarto.

Ele vai até a bancada onde está a parafernália médica e prepara as coisas, antes de passar o garrote no meu braço e apalpar minhas veias. Mal sinto a picada da agulha, mas prefiro não olhar.

– O seu sangue é especial, Alexa. AB é o tipo de sangue mais complexo, biologicamente. Surgiu há menos de mil anos. É um mistério da evolução. Apenas cerca de 3% das pessoas no mundo inteiro possuem esse tipo de sangue, o que torna você incrivelmente especial. Mas eu sempre soube disso, é claro, e a valorizo ainda mais.

Com uma piscadela, ele continua:

– Recentemente assisti a uma palestra sobre o assunto. Médicos e cientistas estão intrigados com a natureza confusa e complexa do sangue tipo AB.

– Sorte a minha ter um sangue que, além de ser um enigma, corresponde às minhas iniciais.

Ainda bem que a agulha é retirada antes que Jeremy se perca em pensamentos e se esqueça de mim. Ele aplica um pedaço de algodão sobre o furinho e dobra meu braço.

– É por causa dessa "raridade" que meu sangue está sendo engarrafado? – pergunto, ao notar quantos tubos ele encheu.

Não é à toa que me sinto fraca. A enfermeira eficientemente carrega os frascos e desaparece.

– Uma das pesquisas em que Ed e eu estamos envolvidos investiga a "novidade" e as características especiais do sangue tipo AB nos seres humanos. Já desenvolvemos algumas hipóteses interessantes. O seu envolvimento na experiência nos permite confirmar que o sangue AB apresenta resultados fascinantes quando a mulher é anglo-saxônica, refletindo as sociedades nas quais a depressão é endêmica. Esses resultados são ainda mais evidentes se ela teve filhos e ainda não entrou na menopausa, como é o seu caso. Por isso precisamos monitorar os seus níveis hormonais e estabelecer a ligação com os fluidos colhidos durante os orgasmos.

Quando eu penso que ele não tem mais como me surpreender, lá vamos nós de novo. Isto é ficção científica ou realidade?

– Foi isso que entregou à enfermeira, antes?

– Exatamente. Os resultados do fim de semana foram mais conclusivos do que esperávamos. Portanto, demos um passo para a finalização da fórmula que procuramos. Estamos analisando a liberação de hormônios na sua corrente sanguínea e estabelecendo a correlação com as secreções da próstata feminina durante o orgasmo. Isso confirmou a produção da serotonina naturalmente induzida, que estimula o sistema nervoso, ainda mais do que prevíamos. Agora, que podemos manter o monitoramento dos seus níveis hormonais e da sua atividade sexual, quando ocorrer, será possível testar e finalizar a fórmula que até hoje não havíamos encontrado.

A descoberta é instigante e, de certo modo, perturbadora, devido ao meu envolvimento direto. Ninguém faz pesquisas médicas tão precisas quanto Jeremy! Ele se cala por alguns instantes, para que eu assimile o que acabo de ouvir.

– Realizei o seu maior desejo, Jeremy. Sou oficialmente a sua cobaia humana.

Não sei por que me surpreendo tanto. Afinal, isso era evidente há muitos anos.

– Querida, você sabe que é muito mais que isso.

– Tenho sido a sua cobaia, a paciente objeto de estudos, desde que nos conhecemos. Exames de sangue, injeções, bandagens, ataduras... O que mudou? Nada. Só o fato de estarmos mais velhos, termos assumido responsabilidades, e você, muito claramente, dispor de mais dinheiro, poder e acesso a recursos do que nos tempos de estudante universitário. Isso aumenta os seus riscos, os quais, Deus me proteja, penso em compartilhar. Sou uma mãe de família!

Estranho que tudo isso só me ocorra agora.

– Ah, vamos lá, Alex, você gosta... Sempre gostou!

Ele se encosta em mim, com seus olhos, beijos e carícias de cachorrinho filhote. Tento afastá-lo sem mover o braço, para evitar o perigo de pingar sangue no lençol branco.

– Além disso, desde quando a maternidade é motivo para negar a sexualidade?

Jeremy e suas perguntas mortais. O que posso dizer? Exatamente quando procuro uma resposta à altura, sinto o estômago roncar violentamente. Desculpa perfeita para mudar de assunto.

– Eu poderia devorar um hambúrguer com tudo e um pacote gigante de batatas fritas. Faz essa mágica para mim?

– Eu poderia, sem dúvida, mas você vai tomar uma deliciosa sopa feita com vegetais da época. Está quase pronta.

– Você não entendeu. Eu *preciso* de gordura saturada. Verdade.

Ele começa a arrumar o material.

– A volta do apetite é ótimo sinal. Já não era sem tempo.

– Jeremy, não é justo, depois de tudo que você me fez passar.

Olho em volta, à procura de um telefone. Nada. Então, tento alcançar a borda da cama, mas ele me segura pelos tornozelos.

– De modo algum, AB. Tem de ficar aqui. Estou falando sério. Não quero você fora desta cama. Se tentar sair, juro que vai ser amarrada.

Reparo que ainda tenho as correias presas aos pulsos e tornozelos. A ameaça é real, portanto.

– Desde quando você tem o direito legal de me manter presa à cama?

O olhar dele me lembra aqueles filmes em que um psiquiatra desequilibrado prende pacientes inocentes, com a desculpa de protegê-los. Será possível? Nós realmente conferimos tanto poder aos médicos? Ele sorri, para mostrar que está brincando. Desta vez, pelo menos.

– Está bem, está bem, vou ficar quieta. Mas quando vai me tirar estas coisas?

– Depois que você tomar a sopa.

– Não sou criança, Jeremy!

– Sei muito bem disso, Alexandra. O seu corpo precisa de alimento para se recuperar.

Obedientemente tomo a sopa, que ele insiste em me dar até a última gota.

– Pronto? – pergunto, ao terminar.

– Vou ver o que posso fazer.

***

Satisfeita e com as ideias mais claras do que quando cheguei, na sexta-feira à noite, descanso a cabeça no peito de Jeremy. Ele também parece mais calmo, mais à vontade, e me acaricia o rosto e os cabelos. Está sendo incrivelmente cuidadoso, como sempre. Gosto disso.

– Estou aliviada por não ter de me apresentar ao conselho. Eu não conseguiria.

– Humm, você tem mesmo muito a me agradecer... – ele provoca.

– Sério, Alex, fiquei muito preocupado. Precisa de mais uns dias para se recuperar. Portanto, não vai a lugar algum antes do fim de semana.

– Você sabe que não posso, embora pareça estar adorando me manter presa. Tenho outros compromissos, sejam quais forem os seus planos.

– Querida, não existe compromisso algum. Quem tem compromisso sou eu: cuidar de você. E sabe que levo o trabalho a sério.

Levanto o queixo, para olhar Jeremy bem nos olhos e verificar se ele fala a verdade.

– Você não está brincando.

– Não estou, mesmo. Você é minha responsabilidade, até embarcar no avião de volta a Hobart.

– Não! Você não tem nada a ver com as minhas palestras. Tudo bem ter perdido a reunião no conselho, mas as outras...

– Tenho muito a ver, sim, com as suas palestras. Você é minha pela semana inteira. Ponto final. Garanto que isso não vai interferir de maneira alguma no seu trabalho. Além do mais, você também trabalha para mim, agora.

Ele parece muito cheio de si, ao continuar:

– Todo o evento foi cuidadosamente planejado em muitos níveis, com recursos ilimitados. Entende o que estou tentando dizer? Nosso encontro de sexta-feira à noite não aconteceu por acaso, Alex. O plano todo vem sendo executado há meses. Patrocinamos a excursão da escola à região do tigre da tasmânia, que quase foi cancelada por falta de recursos. A sua pesquisa mais recente e a suposta série de palestras desta semana também foram providenciadas por nós.

Começo a entender que este fim de semana é muito mais importante do que parecia. Sou uma peça no jogo da vida de Jeremy.

– Por quê?

– Meu mundo não é completo sem você.

As palavras penetram no meu coração como a flecha de um Cupido. Fico sem fala.

– Acho que já posso retirar isso. Não tem mais utilidade.

Ele pega uma espécie de haste magnética na mesa de cabeceira, e desliza cuidadosamente ao longo da emenda das correias de couro. As correias se soltam. Por isso não consegui abrir. A explicação me deixa surpresa:

– Elas se fecham magneticamente. Para tirar, é preciso ter este instrumento. E servem também para monitorar a sua pulsação.

Jeremy parece orgulhoso.

– Invenção sua?

– Infelizmente não, mas eu trabalho com pessoas muito inteligentes.

Estranhamente, sinto falta das correias, como se tivesse perdido a conexão.

– Fico satisfeito em ver que você começa a melhorar, mas é importante que fique na cama e descanse. Vamos ter muito tempo para discutir isso mais tarde.

Apesar da gentileza que Jeremy emprega ao falar, percebo que a decisão é inegociável. Ele verifica se estou bem acomodada embaixo da coberta, beija minha testa, escurece o quarto novamente e sai, fechando a porta. Adormeço em minutos.

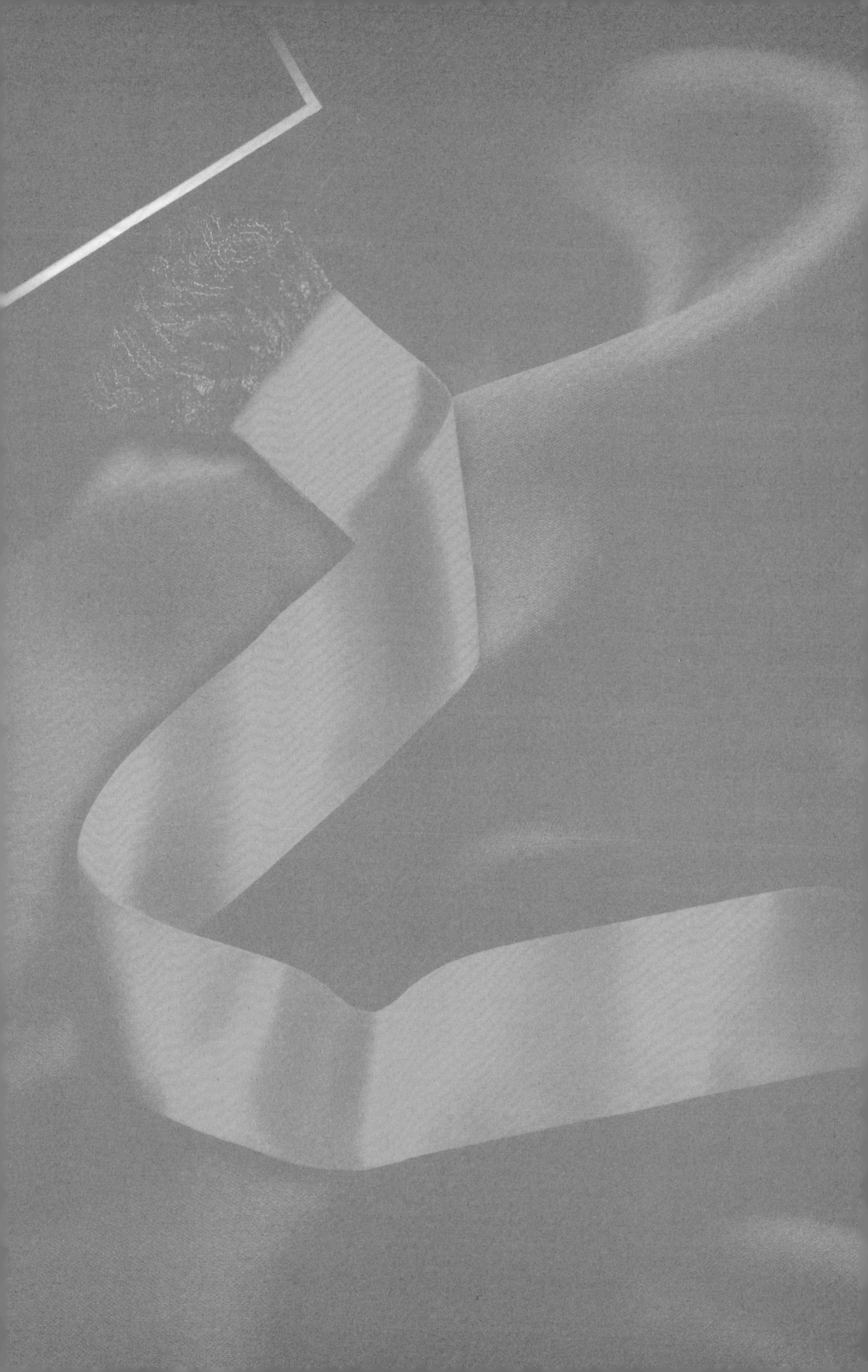

Parte 7

"Nossos olhos cuidam para que não vejamos coisas que estão diante de nós enquanto a mente não estiver pronta. Então, o momento em que reparamos nelas é muito real."

- Ralph Waldo Emerson

Quando abro os olhos, Jeremy não está, mas, para meu grande alívio, deixou a porta aberta. Como não vejo roupas por perto, enrolo o lençol no corpo. O feixe de luz que invade o quarto faz com que eu precise de alguns momentos para me adaptar à claridade que me foi negada por algum tempo. Sinto-me desconfortável ao passar pela porta, como se cruzasse um pórtico para outro mundo. Percebo, então, que este não é o segundo quarto da cobertura do hotel. Pensei que estivéssemos de volta ao InterContinental, e Jeremy tivesse, por praticidade, montado os recursos de um hospital no outro quarto, que não a suíte máster.

Indecisa, instintivamente enrolo melhor o lençol e piso com cuidado no novo mundo.

– Ah, acordou! Acabei de preparar chá-verde.

Jeremy imediatamente deixa as xícaras sobre a bancada e me traz óculos de sol, para reduzir a intensidade da luz sobre os meus olhos. Os óculos só não conseguem disfarçar meu ar de surpresa enquanto caminho pelo amplo espaço, arrastando o lençol.

Chego a me assustar com o azul do céu sem nuvens, o verde da floresta exuberante e a total ausência de qualquer sinal de civilização. Ao longe, montanhas rochosas servem de cenário às águas cristalinas que se espraiam sobre uma faixa estreita de areia branca. Incapaz de falar, admiro a vista por alguns momentos, antes de continuar a exploração silenciosa. Vejo um enorme deque, tendo na extremidade uma banheira de hidromassagem que parece integrada ao horizonte. Uma cozinha bem equipada e espaçosa se abre para uma sala de jantar quase formal e uma sala de estar, onde uma lareira ultramoderna aparece suspensa no centro, rodeada do maior conjunto de sofás que já vi. Minhas pernas trôpegas me carregam em zigue-zague pelos dois níveis, enquanto tento descobrir que lugar é este.

Como? Quando? Onde?

Tudo parece redondo ou circular – inteiramente novo aos meus olhos. Jeremy assiste imóvel à minha investigação. Atravesso um corredor e abro uma porta dupla, que dá acesso ao quarto principal, redondo e envidraçado, construído sobre a copa das árvores da floresta. Uma casa na árvore, luxuosa e sofisticada. No centro do quarto, uma cama redonda, obviamente feita sob encomenda, tem almofadas a toda volta, bordadas com o mais delicado fio de ouro. A decoração do quarto integra-se ao ambiente à perfeição, a não ser pelo contraste com um enorme buquê de rosas vermelhas, quase todas abertas. Exatamente como Jeremy prometeu. A beleza das flores é de tirar o fôlego. Meus olhos se enchem de lágrimas quando penso nas emoções que experimentei desde então. Francamente, nunca me senti assim. Em silêncio, dou a volta completa no quarto, admirando a vista por todos os ângulos. Mais uma vez procuro um sinal de gente. Nada. Somos nós e a natureza, apenas. Embora impressionada pela beleza que nos cerca, eu me pergunto: O que o Google Earth mostra sobre este lugar?

Meio tonta com o retorno à vida e a descoberta do novo ambiente, eu me sento na beirada do sofá cor de areia. Jeremy chega sorridente e me abraça por trás.

– Viu, eu não disse que você é minha pela semana inteira?

Custo a responder.

– Jeremy, onde estamos?

– Em Avalon. Um lugar onde ninguém nos perturba, e posso cuidar bem de você.

– E onde fica Avalon?

– Isso, infelizmente, não estou autorizado a informar, mas, como pode ver, não vamos a lugar algum antes que esteja totalmente recuperada.

Não sei o que dizer nem o que pensar. Se me senti desconectada quando ele me tomou o telefone celular, aquilo era uma gota no oceano, em comparação a isto!

Jeremy sugere que passemos a usar o quarto maior, agora que já melhorei, e pede licença para providenciar a mudança. Eu me atiro no meio da cama redonda, ainda perplexa com a realidade. Ele volta com uma toalha enrolada na cintura. "Estimulante", eu penso, enquanto ele sorri e toma meu rosto nas mãos. Uma olhada naquele tórax nu me faz desejar que não esteja sonhando.

– Por que não troca o lençol por uma toalha e se junta a mim na banheira quente? – Jeremy sugere.

Ele mesmo passa a toalha sob meus braços e me carrega pela sala, até a varanda.

O lugar é inacreditável. Pareço em estado de choque, diante da vista magnífica. Jeremy tira a minha toalha e a dele, e nossos corpos nus entram na banheira convidativa. A água está deliciosamente morna, mas tenho a pele das nádegas ainda sensível, e estremeço.

– Doeu? – ele pergunta imediatamente. – Eu me sinto mal quando você sofre. Posso aplicar alguma coisa.

– Não, verdade. Estou bem. Não há necessidade de remédios. É que ainda não registrei tudo que aconteceu, e as sensações se refletem no corpo.

Respiro fundo e fecho os olhos. Os pensamentos – muitos – me invadem a mente. Abro logo os olhos, para interromper o fluxo. A intensidade de sentimentos seria causada pelo falta de visão, enquanto vivi as experiências?

Quero que uma pergunta chegue à alma de Jeremy:

– Por que fui eu a escolhida? Por causa do meu perfil e do meu tipo de sangue?

Desvio o olhar, enquanto espero pela resposta. Ele me acaricia com delicadeza, como se eu fosse muito frágil, antes de responder simples e sinceramente:

– Não poderia ser outra.

Tento esclarecer o que há por trás dessas palavras.

– Mas e as cintadas... Ou lá o que tenha sido?

Sinto dificuldade em articular as palavras, mas a simples menção me desperta o desejo. O que posso esperar, se só a lembrança me deixa neste estado?

— Você foi sensacional, Alexa. Tive de reunir todas as minhas forças para não arrancar você de lá.

— Nunca fiquei tão assustada, Jeremy. Não sabia o que estava acontecendo nem o que ia acontecer. Mal posso acreditar que falo nisso agora, mas a experiência foi literalmente atordoante. Ainda que eu estivesse recebendo um castigo pelas perguntas que fiz, o que significava aquilo?

— Precisávamos fazer você acreditar que as consequências eram reais e mensuráveis, de modo que sentisse medo verdadeiro e liberasse os hormônios, mas sem chegar a extremos.

— Imagino o que seriam extremos... Nunca experimentei emoções tão intensas e sucessivas, sensações inacreditáveis...

Sinto energia pura pulsando pelo meu corpo.

— Precisei forçar os limites. Eu sabia que você suportaria, que no fundo desejava aquilo mais do que se permitia acreditar. Confesse: o prazer compensou a dor?

Mais uma vez, as palavras provocam ondas dentro de mim, eliminando todo sinal de arrependimento, revolta ou sofrimento. As sensações são as mais estranhas que já vivi. Suaves ondas orgásticas atravessam o meu corpo, que parece arder de pura sexualidade.

— Isso é incrível, Alex. Já tenho a resposta.

Jeremy me faz deslizar na água, e me prende entre as pernas. Não adianta negar nem fingir que não está acontecendo. Fecho os olhos e deixo que os ritmos da natureza assumam o comando.

— A cada golpe, você ficava mais lubrificada, mais faminta. Era como se o seu corpo pedisse. Honestamente, querida, você estava cheia de desejo. Eu monitorava tudo, para verificar a sua integridade física em cada etapa. Por uma perspectiva de medo e prazer, os dados que coletamos têm mais importância do que imaginávamos.

A reação do meu corpo faz Jeremy interromper o raciocínio. A lembrança dos dedos a explorar meu corpo, sem que eu soubesse quando ou por quanto tempo, provoca uma resposta imediata e concreta.

— É inacreditável. Eu sinto a sua reação. Estou ansioso para lhe passar os detalhes, as conclusões. A ideia de tê-la nos dois lados do processo de experimentação foi genial. Estou admirado com o seu desempenho. Tenho muito a agradecer. Sei que a decisão não foi fácil.

O reconhecimento significa muito para mim. Como Jeremy pode me conhecer tão bem?

— Ainda não absorvi completamente o que aconteceu. Nem eu imaginava que aguentasse tanto.

— É bom ver que finalmente conheceu a mulher que eu amo. Neste momento está sendo preparada uma carta-convite, para que você se torne membro exclusivo da nossa principal equipe de pesquisa, por causa dos seus conhecimentos e habilidades. Quando as pesquisas passarem à próxima fase, mais do que nunca o seu envolvimento será essencial para o nosso sucesso.

Não sei o que responder. Concordei em colaborar com a pesquisa e participar ativamente do processo de experimentação. Passei por situações que não me julgava capaz de enfrentar, e sobrevivi, mas nunca fui tão depreciada e exaltada fisicamente, ao mesmo tempo. Como isso funciona no cérebro? Como pude experimentar prazer tão genuíno, sob circunstâncias tão extremas?

Na verdade não sobrevivi, simplesmente. Eu gostei. E faria de novo? Sob certas condições, com certeza. Quero descobrir as respostas a essas perguntas? Mais do que nunca! Jeremy massageia meus ombros, como que para afastar as preocupações e permitir que eu aproveite nosso convívio. Depois de algum tempo, ele me tira da banheira com toda a delicadeza e enxuga meus braços e pernas. Em seguida, nos acomodamos nas espreguiçadeiras ao sol.

— Algum dia pensou que o seu corpo fosse viver experiências tão variadas em apenas 48 horas?

A lembrança dos orgasmos múltiplos está ainda muito nítida, e eu talvez perdesse o equilíbrio, caso já não estivesse deitada.

— Descreva o que está acontecendo com você.

Espero a respiração se normalizar, antes de responder:

– As lembranças são tão fortes e intensas, que me tomam fisicamente. Você fala, e o meu corpo reage de imediato.

Jeremy espera em silêncio, pacientemente, que eu continue. É provável que já saiba de tudo.

– Eu tinha um desejo muito forte. Suponho que você chame de fantasia. Estava tão ligada àquele momento poderoso, que me sentia em unidade com o mundo. De repente, havia línguas por toda parte...

Fico sem graça de descrever, embora tenha vivido tudo aquilo. Sei que ele analisa minhas palavras.

– Elas penetravam, investigavam as partes mais escondidas. Não tenho imagens visuais; somente uma sensação tão forte, que me toma a consciência. Não entendo como isso acontece, Jeremy. É possível? Se não, o que está havendo comigo?

– Não foi fantasia, Alexa. Foi real.

Meu corpo se agita. Chego a corar tão intensamente quanto a vibração na parte de baixo do corpo.

– Com o bloqueio de alguns sentidos, os processos cognitivos ligam a intensidade dos sentimentos ao corpo físico. Assim, esses processos se tornam neurologicamente conectados. Por isso corpo e mente reagem com tanto vigor a uma lembrança específica ou a qualquer coisa que desperte essa lembrança. Isso é exatamente o que esperávamos. Mais do que esperávamos, até. Essa é a parte crítica da nossa pesquisa, o nosso terreno não mapeado. Com os seus conhecimentos de Psicologia e a sua experiência pessoal, vamos elaborar conceitos sobre sexualidade feminina nunca pesquisados nem revelados.

Estou confusa. Lembro a conversa com Samuel e seus "pesquisadores de elite". Ele vai ficar animado com os resultados, sem dúvida. A ideia subitamente me deixa ansiosa.

– Jeremy, Sam não estava lá, estava?

– Não, Alex, não estava. Eu nunca faria isso com você. Só dois colegas e um pessoal que organizamos para a sua "fantasia real".

– Graças a Deus.

Que alívio. Só consigo mostrar o traseiro a anônimos.

– Mas passei os resultados para ele, e não vejo a hora de discutirmos. Se tudo correr conforme os planos, vamos desenvolver uma droga contra a depressão, inédita no mercado, com mais eficácia e confiabilidade para o paciente, e sem os efeitos colaterais, às vezes terríveis, encontrados nas que estão disponíveis atualmente.

– Honestamente: vocês chegaram mesmo mais perto da fórmula, por causa das experiências de que participei?

– Você é fundamental para o nosso sucesso, meu amor. Está bem no centro do que esperamos alcançar.

– Não acredito que vamos trabalhar juntos, depois de tantos anos, Jeremy! Quem diria? A propósito: qual é a verdadeira natureza do papel que vou exercer, daqui para a frente?

– Tudo vai ser explicado mais tarde, dra. Blake. Primeiro, tem muitos documentos a assinar.

***

Quando o sol se põe, Jeremy acende a lareira e cuida para que eu esteja confortável, na sala de estar. Ele não me deixa fazer absolutamente nada, enquanto prepara o jantar. Para minha surpresa e satisfação, traz uma taça de Pouilly Fumé, meu vinho francês preferido, na temperatura perfeita. Pelas estrelas que surgem, presumo que estejamos em algum recanto maravilhoso do hemisfério sul. Não sei como cheguei aqui, que dia é hoje, nem que horas são. Jeremy não mencionou meu telefone, nem eu me dei o trabalho de perguntar. Sinto que o dr. Quinn consideraria minhas perguntas irrelevantes; então, deixo que desapareçam com a luz do dia.

Depois de um jantar delicioso – salmão grelhado com verduras asiáticas – nos aconchegamos no sofá, para a primeira de muitas conversas que teremos nos próximos dias.

Ainda estou hesitante.

– Posso fazer uma pergunta?

– Claro.

Ainda bem.

— O que aconteceria se eu dissesse "não" na sexta-feira à noite?

— A ficar comigo ou a abrir mão da visão?

— "Não" às duas coisas.

— Eu teria convencido você. Como sempre.

— Por que não consigo dizer não a você, Jeremy?

— E gostaria de conseguir?

— Na verdade, não sei. É estranho. Partes de mim gostariam. Outras não. Impossível deixar de pensar no meu casamento. Não vai ser fácil voltar para casa e enfrentar a realidade. Há anos Robert e eu não estamos juntos, no sentido sexual.

— É mesmo? O que está havendo? Pois eu não aguento muitas horas longe de você!

Ele desliza a mão pela minha perna, até a coxa.

— Depois destes dias, não sei se quero voltar àquela vida assexuada. Isso nunca me incomodou, mas agora... Digamos que eu era um vulcão adormecido, e entrei em erupção devido a uma intensa atividade sísmica.

Ele me acaricia entre as pernas.

— Está me chamando de sismo, dra. Blake?

Eu impeço que ele avance.

— Mais ou menos, dr. Quinn. Sério: o que acha?

— Quando estamos juntos, nada parece errado, sejam quais forem as circunstâncias. E agora é mais importante do que nunca.

— Você não vai querer justificar a minha estada aqui como uma missão em nome da ciência! — eu provoco, esperando uma explicação.

— Não exatamente. Acontece que nenhum dos participantes da pesquisa tem um relacionamento tão antigo quanto o nosso. Na verdade, passamos juntos praticamente a metade da vida. É como se eu tivesse de estar com você, como se estivéssemos sempre ligados. Faltava apenas encontrarmos o caminho de volta. Temos tantas histórias juntos, que nada se mostra incorreto ou impróprio. É difícil sentir culpa. Pouco me importa a opinião da "sociedade" sobre o nosso relacionamento. E depois do que me contou sobre Robert, digo que ele está desperdiçando você. Se ele não quer, eu quero! Conforme já disse, não imagino a vida sem você, e do jeito como está, é o mesmo que tapar o sol com a peneira.

Ele belisca de leve os meus mamilos, para enfatizar o que vai dizer:

– Quando estamos juntos, é dinamite pura. Concluí que fui um idiota, por deixar você tanto tempo fora da minha vida. Você tem filhos, como sempre quis, e um casamento mais ou menos. Eu tenho a carreira, que tem sido meu foco. Mas meu foco agora é você. Eu a amo, Alexandra, sempre amei, e não estou disposto a dividir você com mais alguém. Vai ter de pensar nisso no futuro próximo.

Ele me ama e não está disposto a me dividir com mais ninguém. Isso é uma ordem? Estou surpresa com a boa articulação do discurso, que parece ensaiado, mas as palavras me atingem de maneira inesperada. Antes que eu responda, ele toma as minhas mãos.

– Vou lhe fazer uma pergunta: você queria estar comigo neste fim de semana? A ideia lhe passou pela cabeça, antes de chegar ao hotel, na sexta-feira à noite?

Desvio o olhar para minhas mãos trêmulas, até ter coragem de responder. Mas nem preciso. Basta uma rapidíssima troca de olhares, e ele obtém a resposta.

– Certo. Aconteceu o mesmo comigo. Está arrependida?

– Boa pergunta, Jeremy.

– Ah, vamos lá, querida. Você já chegou até aqui. Vai ficar tímida agora?

Para pressionar, ele me prende os braços, brinca com meus mamilos, que endurecem instantaneamente, e acaricia meus seios. Continuo a evitar uma resposta.

– Talvez seja melhor eu dormir de sutiã esta noite.

– Talvez seja melhor não vestir nada.

Meu vestido escorrega para o chão, ao nosso lado.

– Agora, pare de mudar de assunto e responda.

– Está bem, está bem, não me arrependo. É difícil lamentar alguma coisa, quando se está sob o poderoso encantamento do dr. Quinn...

Seria melhor dizer impossível.

– Atividade sísmica, poderoso encantamento... O que quer dizer com isso? – ele pergunta com fingida inocência.

A massagem continua, acompanhada de beijinhos no pescoço. Minhas pernas se abrem mais sob o peso dele, e sinto que ele me deseja.

– Quero dizer que meu corpo me denuncia em todas as oportunidades, seja qual for o processo de raciocínio. Tenho de dar um jeito de controlar isso, ainda mais se formos trabalhar juntos.

– Prometa, querida, que não vai incluir essa tarefa na sua lista de prioridades!

Depois de mordiscar minha orelha, ele me leva no colo até a cama redonda da suíte máster.

– Não se mova um milímetro sequer. Já volto.

Eu obedeço, enquanto minha mente é levada por um redemoinho de desejo. Ainda bem que estou deitada. Jeremy volta com um sorrisinho malicioso, com certeza disposto a mais uma travessura, e, sem uma palavra, me enche de carícias. Céus, lá vamos nós de novo!

– Quando é que o bastante vai ser o suficiente? – pergunto, com um suspiro.

– Com você, querida, nunca. Mas sempre pode dizer não.

A voz baixa e rouca no meu ouvido me leva às alturas. Ele sabe muito bem que não existe a menor possibilidade de eu dizer não.

– E se você me amarrar e me der umas chicotadas, até eu mudar de ideia?

– Humm... Assim...

Sem interromper as carícias e provocações, ele me põe de quatro sobre a cama.

– Procure ficar paradinha, que eu quero fazer uma experiência.

Sinto entrar na vagina uma coisa fria, nem muito grande nem muito pequena, e a vibração começa, a princípio suave, mas logo aumentando de intensidade. Não consigo pensar em outra coisa, a não ser nos espasmos que me atravessam. Em segundos estou lubrificada. O corpo reage instantaneamente à lembrança do calor e das vibrações, quando eu estava presa à plataforma. Tão depressa... Como isso acontece?

Jeremy enfia o polegar no meu ânus, e eu me contraio, forçando uma rejeição. Para minha surpresa, porém, a invasão parece esperada e prazerosa. O que ele faz, para conseguir isso? Ele gira delicadamente o polegar, até encontrar um determinado ponto, que massageia, pressionando em direção à vibração na vagina. Quase perco o fôlego. A cabeça começa a rodar, e o corpo se agita, à lembrança de sensações anteriores. Muito satisfeito com o resultado, ele responde com um meio sorriso à minha expressão de surpresa.

– Está confortável?

– Está... – é só o que consigo responder.

Os ritmos pulsam pelo meu corpo, enquanto os dedos de Jeremy exploram e criam novas sensações. Uma onda de calor me invade o ânus e a vagina, quando ele retira lentamente o polegar, para em seguida pegar um preservativo, posicionando-se atrás de mim e adaptando-o cuidadosamente ao pênis. Lanço por cima do ombro um olhar indagador, mas não posso negar que a cena é bela de se ver.

– Relaxe, querida, prometo que vou devagar.

O pênis lubrificado encosta na entrada do ânus, pressionando com cuidado. Em seguida, penetra aos poucos, para que eu tenha tempo de me acostumar à presença volumosa em espaço tão reduzido, mas sem perder a intensidade. Suavemente, ele me preenche por completo, como que feito sob encomenda para mim. Eu suspiro de prazer. Nunca foi tão bom. Ele me possui inteiramente, enquanto a outra mão massageia o clitóris, cada vez com mais firmeza. Começo a perder a noção de tudo.

Jeremy achata o meu peito contra a cama, causando atrito entre os mamilos e a trama do lençol. Seu corpo mais elevado lhe assegura o domínio. Ele inteligentemente repete a posição da minha experiência anterior, só que sem as amarras. Seus dedos quase me levam ao orgasmo, mas recusam-se a dar o último toque. Tenho o ânus totalmente ocupado pelo pênis dele, que envia vibrações para o corpo inteiro. Para minha surpresa, porém, sinto a abertura aumentar, convidando-o a ir mais fundo. Chego a gritar, não de dor, mas pela intensidade do amor que sinto por este homem e pelo prazer que ele me proporciona.

Estou literalmente encharcada de desejo, quando seus dedos dão o toque final. O clímax vem em ondas, uma após a outra, carregado de realidade física e de memórias neurológicas. Somente o instinto animal alimenta meus longos gritos. Ele se ajeita um pouco, e tudo acontece novamente. E outra vez. Sou lançada em um mundo de cuja existência sequer suspeitava, antes deste fim de semana. Alcanço o meu universo orgástico inconsciente recém-descoberto. Eu faria qualquer coisa, iria a qualquer lugar, por este homem e pelas coisas que ele é capaz de fazer com meu corpo.

O que me aconteceu? Virei maníaca sexual, dependente de sexo? Nem encontro o termo correto. Nunca na vida imaginei tanto prazer. Como é possível? Claro que, como muita gente, já li sobre orgasmos múltiplos, mas o que experimentei não é deste mundo. A intensidade é tanta, que a sensação persiste por algum tempo.

– Isto é normal, é natural? Acontece de repente...

Vou me recuperando, e vejo Jeremy tão fascinado quanto eu. Ele delicadamente retira o vibrador e guarda em um saco plástico.

– Mais testes?
– Mais resultados, mais descobertas...
– A partir de um sexo maravilhoso. Quem diria?
– Nem eu diria.
– Estou muito feliz de participar, dr. Quinn.
– Agora, de volta a você, querida.

Por algum tempo, pouco falamos. Cada um está perdido no próprio mundo, confortável com o próprio corpo. Palavras não são necessárias quando se quer prolongar uma experiência e as ondas de prazer provocadas por ela.

– Já que está aqui, é hora de mais uma pomadinha.
– Você deve estar brincando. Passou há pouco tempo!
– E será que a nossa recente atividade não prejudicou o efeito?

Balanço a cabeça, apenas.

– Prometi cuidar de você. Sabe como sou dedicado ao trabalho!

Ele vira minha bunda para cima e aplica cuidadosamente a pomada. Quando olho por sobre o ombro, pisca o olho e me manda um beijo.

***

Fiel à palavra empenhada, Jeremy cuida de mim pelo resto da semana: alimenta, dá banho, aplica remédio, estimula física e intelectualmente, esgota emocionalmente, faz dormir, escova o cabelo, massageia o corpo, cuida das contusões. Não tomo uma só decisão nem faço contato com o mundo exterior. É como se nada existisse fora de Avalon. Estou bem protegida no casulo cuidadosamente construído pelo dr. Quinn. Nunca me senti assim, tão cuidada, tão frágil, tão bem. Como sobrevivi até hoje sem ele?

Continuamos a conversar, rir, brincar e lembrar. É a nossa versão de uma curta lua de mel. Puro êxtase. Só sinto falta de Jordan e Elizabeth, e lamento saber que não posso me comunicar com eles na mata. Nunca nos separamos por tanto tempo. O que me consola é saber que, se estivesse em casa, seria a mesma coisa. Guardo bem no fundo da mente a conversa que vou precisar ter com Robert, na volta. Acredito que o mundo continue a girar como sempre. Só existo no isolamento desta maravilhosa casa na árvore, no amor e na atenção de Jeremy.

– Vou medir a sua pressão arterial. Você está parecendo muito cheia de energia.

– De novo? Devo ser o estudo de caso mais monitorado da história!

Ele ignora meu exagero.

– Se tiver voltado ao normal, vamos à praia. Ah, está ótima. Vem daí a energia. Por que não se arruma, enquanto eu preparo uma cesta de piquenique? No *closet* há uma caixa com tudo de que vai precisar.

Fico parada, hesitante. Primeiro, não sei se ele fala sério; segundo, gostaria de saber o que tem em mente desta vez.

– Vá se arrumar, antes que eu mude de ideia!

Suspiro aliviada, ao encontrar na caixa roupas comuns. Ainda bem que não preciso mais encarnar "personagens". Visto um maiô sob a saída de praia, para o caso de a água estar convidativa. Sentindo-me energizada e poderosa como nunca, pego óculos de sol, chapéu e protetor solar. Jeremy tem a mochila pronta, e finalmente atravessamos a enorme porta dupla da casa na árvore. Uma estradinha na parte de trás leva ao cume da montanha. Reparo em uma guarita, onde há um homem forte, de uniforme, com um rifle no ombro. Jeremy responde ao cumprimento dele e, rapidamente, me leva na direção contrária, rumo à praia. Uma sensação estranha me causa um arrepio na espinha.

– Pensei que estivéssemos absolutamente sozinhos. É preciso aquilo?

– Explico tudo quando chegarmos à praia.

Pela primeira vez em dias, noto um tom de preocupação na voz de Jeremy, mas prefiro não pensar no assunto.

Na praia, nos instalamos sobre a toalha, com um verdadeiro banquete diante de nós. O céu sem nuvens se estende a perder de vista.

– Este lugar é mesmo incrível. Tomara que não haja pressa de ir embora.

– Temos muito tempo. É bom estar com você ao ar livre novamente.

– E o melhor é que eu posso ver.

Ele ajeita e prende atrás da minha orelha alguns fios de cabelo que teimam em ficar fora do lugar. Em seguida, pergunta gentilmente:

– Como está se sentindo, de verdade?

– Muito melhor agora, obrigada. Nem poderia ser diferente. Tenho só para mim a sua atenção física, emocional, mental e médica. E você? Parece que quer dizer alguma coisa.

– E quero. Ainda tenho explicações a dar, e não quis correr o risco lá em cima – ele completa, apontando a casa.

– Como?

– Quer saber? Pode haver algum dispositivo de escuta. Aqui é mais seguro.

– Escuta? Quem faria isso? Com que propósito? Ou é melhor eu não ficar sabendo? – pergunto nervosamente.

– Eu preferia não envolver você em mais nada disso, Alex, mas você já está envolvida e precisa saber.

Tenho o pressentimento de que o casulo tão meticulosamente preparado por Jeremy está para se desmanchar. Como que perdido em pensamentos, ele pega minha mão e acaricia meus dedos.

– Acho melhor dizer logo o que precisa dizer, dr. Quinn.

Ele faz que sim e começa.

– Não preciso falar da incidência da depressão; o mercado para uma droga eficaz é amplo, e deve crescer na próxima década, em especial nos países ocidentais. Os antidepressivos são uma indústria bilionária, e todos os grandes laboratórios farmacêuticos atacam em várias frentes, empreendendo uma busca frenética por novos medicamentos. A situação se tornou ainda mais urgente depois que a Food and Drug Administration encontrou ligação entre alguns antidepressivos e o aumento de tendências suicidas, em comparação a um placebo. Vale tudo para descobrir uma nova droga. A concorrência é acirrada e, embora eu deteste admitir, nem sempre leal. Por isso precisamos ter esta conversa.

Jeremy parece nervoso, o que não é comum, e por isso escuto atentamente.

– Alguém entrou no computador de Sam nas últimas 24 horas, e vai ter acesso aos resultados que mandei. Daí o aumento na segurança. Talvez leve algum tempo para descobrirmos quem foi. Não quero assustar você mais do que o necessário, Alexa, mas, se os concorrentes por acaso descobrirem o seu envolvimento e o potencial da fórmula que estamos desenvolvendo como resultado do último fim de semana, você pode estar em grande perigo. Esse é um risco que não quero correr. Por isso organizei uma equipe de guarda-costas qualificados, que vão se apresentar como seus assistentes de pesquisas em tempo integral, na University of Tasmania, para garantir a sua segurança, quando retornar ao trabalho.

– Sério?

– Eu coloquei você nesta situação, e vou assumir total responsabilidade. Nem sei o que faria, caso lhe acontecesse alguma coisa.

– O que poderia acontecer, Jeremy? Por que está tão preocupado?

– Toda a indústria farmacêutica se preocupa em proteger as atuais e futuras patentes, e os maiores laboratórios não poupam recursos para isso. Eles contam com departamentos especiais para o trabalho investigativo, e não empregam funcionários medianos, se é que me entende. Recrutam ex-soldados de grupos de elite, *hackers*, cientistas e neurocirurgiões, e ex-juízes, desde que sejam expoentes em seu campo de atuação. Alguns dos indivíduos mais capacitados do planeta são contratados com salários exorbitantes, desde que preencham certas exigências da empresa.

– Você é um deles?

– Não necessariamente. Tenho um acordo específico com um laboratório farmacêutico em relação a uma droga contra a depressão. Esses departamentos especiais cuidam para que a propriedade intelectual da empresa seja protegida em todos os estágios do desenvolvimento. E a todo custo. Em essência, protegem a segurança dos resultados da nossa pesquisa. Eles se envolvem mais quando nos aproximamos do desenvolvimento da fórmula ou produto, e iniciamos o processo de preparação para uma patente legal, que pode ser longo e tortuoso. A espionagem intelectual é frequente na indústria farmacêutica, e algumas organizações não se importam com vidas humanas, quando se trata de garantir o direito de patente. Esse é um aspecto do modo como conduzem os negócios. Minha preocupação é que, caso um dos nossos concorrentes seja responsável pela invasão do computador, o que não foi confirmado ainda, resolva verificar por si os nossos resultados.

– Quer dizer... comigo?

Afirmar que estou chocada é pouco.

– É improvável, mas não completamente impossível. Não quero alarmar você, Alex, mas deve aceitar a segurança que providenciamos. E não admito uma resposta negativa.

– Você acha, honestamente, que pode acontecer alguma coisa?

– Esperamos que não, mas por via das dúvidas tomamos precauções extras. Enquanto isso, quero lhe entregar uma coisa que serve como lembrança do nosso tempo juntos e como reforço da sua segurança.

A expressão de Jeremy é séria. Ele pega uma caixinha na mochila e abre cuidadosamente. Em seguida, tira de dentro dela e me entrega um bracelete, não sei se de prata ou platina. Observo atentamente o bracelete. Nele estão incrustados o que parecem pequenos diamantes cor-de-rosa, e há delicadas inscrições em gaélico antigo, criando um nítido contraste com o peso da peça.

– Jeremy... – eu começo.

Ele olha fundo nos meus olhos.

– Como ainda não posso colocar um anel no seu dedo, quero que me prometa usar isto sempre. Faz isso por mim?

Eu sustento o olhar. Ele me pediu e me levou a fazer tantas coisas que jamais imaginei, e vou discutir por causa de uma joia? Ainda mais que percebo como é importante para ele.

– Claro que faço. É tão bonito... O que estes símbolos representam?

– São as palavras gaélicas para *anam cara*. Quer dizer "amigo da sua alma" ou "companheiro da alma".

Meu coração dispara, mas logo controlo a emoção que ameaça me inundar. Nossos olhos se encontram, e por um longo momento vivemos em um lugar pleno de energia, embora pacífico e sereno. Sei que pertenço a ele, e ele pertence a mim. Sem mais palavras, estendo o braço.

– Obrigado, Alex. Que nossas almas sorriam no encontro do nosso *anam cara*.

Jeremy põe o bracelete no meu pulso e aperta o fecho, provocando um estranho ruído computadorizado. Mais uma vez, cabe perfeitamente: nem frouxo nem apertado, e impossível de tirar. Estou inegavelmente ligada a ele. Me agrada este símbolo concreto do nosso amor. Mas não resisto a perguntar:

– Que ruído foi esse?

– Está digitalmente codificado, selado física e eletronicamente no seu pulso. Assim, Sam e as minhas equipes terão acesso ininterrupto à sua localização, para o caso de ocorrer um imprevisto. Foi importante para mim que você concordasse em usar, antes de saber de que se tratava.

Realmente, eu não havia pensado em me conectar a ele de maneira tão pragmática.

Por algum tempo contemplo a preciosa peça da joalheria tecnológica que contorna – ou prende – meu pulso. Penso em um trabalho que fiz para a mina de diamantes de Argyle, no oeste da Austrália, e nas precauções tomadas pela empresa, para o transporte das pedras preciosas até a cidade de Perth. Havia vários voos por semana, mas ninguém sabia em qual deles estariam os diamantes cor-de-rosa, os mais raros e valiosos do mundo. Observando as pedrinhas incrustadas no bracelete, penso no esforço e nas despesas que as empresas fazem para garantir seus bens. Logo agora, quando eu pensava que minha vida de "Alice no País das Maravilhas" ia durar para sempre, acontece isso. O estômago é o primeiro a se manifestar. Estranhamente, não tenho perguntas; só uma obediência tranquila. Tomo consciência da minha respiração e acaricio inconscientemente o bracelete.

Horas mais tarde, voltamos à casa na árvore, tentando deixar no oceano os sombrios panoramas futuros. Esse era o tônico de que ambos precisávamos.

A última noite é bem menos movimentada do que as anteriores. Sentados confortavelmente em silêncio, ficamos muito tempo abraçados, absorvendo o impacto do caminho que, afinal, resolvemos trilhar juntos. A conversa é limitada, mas estamos emocionalmente unidos. O ato de fazer amor alcança uma intensidade quase espiritual, à medida que reconhecemos nossa vida definitivamente alterada, como resultado da experiência. Compreendemos a importância de não saber o que a vida nos reserva, depois de Avalon. Estamos irresistivelmente ligados ao nosso destino ignorado. São poucas as horas de sono desta última noite.

***

O dia amanhece nublado. Assim, o avião particular em que embarcamos voa em meio às nuvens e ao nevoeiro, que impedem a visão do que há lá embaixo. Somente com a altitude encontramos o sol. Já estava claro para mim que Jeremy é um homem excepcionalmente influente; eu só não sabia que essa influência se estende ao controle das condições climáticas. Não descubro se voamos sobre a terra ou sobre a água, e ele não me revelaria a localização de Avalon. Segundo ele, quanto menos eu souber, melhor para a minha segurança, que é prioritária. Voamos o tempo todo de mãos dadas. Chego a cochilar, com a cabeça apoiada no ombro dele, e só acordo quando começamos a descer. A separação está próxima.

Depois de um abraço apaixonado e de algumas lágrimas silenciosas que deixo correr, eu desembarco. É preciso. Minha bagagem vai ser despachada. Jeremy permanece no avião, no qual seguirá para Boston.

Como que guiada por um piloto automático, embarco no voo para Hobart, agradecida pelos assentos vazios ao meu lado. Preciso assimilar tudo que me aconteceu durante a semana, o potencial risco do meu envolvimento e o futuro da minha vida familiar. É muita coisa para uma só pessoa. Quando me curvo para guardar o cartão de embarque na bolsa, reparo em um envelope bem grosso. Ao abrir, encontro um bilhete escrito à mão por Jeremy.

Para minha maravilhosa Alexandra:
Achei que você gostaria de ver estas fotos agora, para conhecer melhor a mulher que eu amo. Ao voltar para casa, não esqueça como essa mulher é importante para mim.
Cuide-se, meu amor, até o nosso próximo encontro.
Boa viagem.
J

As fotografias me deixam perplexa. Eu sou realmente esta pessoa?
- Palestra de sexta-feira à tarde.
- Almoço com Samuel e a equipe de pesquisa.
- Chegada ao hotel. Séria, de cabelo preso.
- De vestido vermelho e venda.
- Na cobertura, vendada e algemada.
- Cantando e tocando guitarra.
- De botas e roupa de couro.

- Duas pessoas com roupas de couro, sobre a motocicleta.
- Paraquedismo, queda livre.
- De óculos escuros, no conversível preto.
- Flutuando nua.
- De capa e capacete, com tiras de couro.
- Na praia, nadando com Jeremy.
- Vestida como está agora, para a viagem de volta.

É incrível ver estas imagens, comparadas às que tenho na mente. A venda parece esconder a tensão nervosa, e o corpo transmite a impressão de uma pessoa inegavelmente sensual que aproveita a experiência. O material exerce um efeito tranquilizador sobre minha fisiologia. Seguro as fotos junto ao peito. Quem diria que esta sou eu?

Reflito sobre a pergunta que não consegui responder a Jeremy no momento em que foi feita: Desde quando a maternidade é motivo para negar a sexualidade?

Quem poderia imaginar que passei tantos anos negando minha sexualidade? Quem poderia pensar que, para reacender a paixão sexual dentro de mim, seria necessário um fim de semana repleto de situações extremas, como abrir mão do sentido da visão, ser impedida de fazer perguntas e estar disposta a experimentações psicológicas, físicas e neurológicas sobre o sistema límbico? Só Jeremy, é claro.

***

Entro em casa e abraço longamente meus lindos filhos como se nada tivesse mudado, mas sabendo que muita coisa mudou. Meu amor por eles é imenso.

É agora ou nunca. A semana ao lado de Jeremy selou meu destino, e estou decidida a ter com Robert a conversa que venho adiando há anos. Enquanto minha irmã cuida das crianças, vamos sair sozinhos para jantar; não quero discutir o assunto em casa. Ao mesmo tempo, porém, não sei se devo ter em público uma discussão tão delicada.

Não havia necessidade de tanta preocupação. Tenho a impressão de que, tanto quanto eu, Robert quer conversar sobre nosso casamento. Descrevo o impacto do reencontro com Jeremy e confesso que não posso mais abrir mão da presença dele na minha vida. Só não menciono a participação na experiência. Quando examino a expressão de Robert, sentado diante de mim, à procura de um sinal de seus pensamentos, levo um susto, ao perceber... alívio. Nem raiva nem tristeza; só alívio. Ele explica como vem há anos lutando para aceitar e revelar sua sexualidade. Só evitou conversar comigo por causa da minha formação em Psicologia: não queria ser analisado pela mulher, antes de chegar a conclusões próprias. Além disso, detestaria que eu ou as crianças sofrêssemos. Robert conta que não pode mais negar esse aspecto, que precisa explorar e investigar, para descobrir se é ou não *gay*. Mas acha que é.

Então eu pensava no efeito das minhas palavras, e ele me vem com essa! Certamente está explicada a nossa falta de vida sexual. Como não percebi? Não posso deixar de pensar em como seria, caso eu recebesse a revelação antes de reencontrar Jeremy. Doloroso, imagino. Agora, no entanto, torna possível o que era impossível há apenas uma semana.

Durante o jantar, usamos de mais franqueza do que nos últimos cinco anos. A conversa flui, e nos entendemos com uma confiança que vem do respeito e da amizade. Entendo o que me atraiu neste homem que está na minha frente, o pai dos meus filhos. Ele é um bom homem com um bom coração. Apenas não nos amamos mais.

Em benefício das crianças, decidimos manter o apoio mútuo. Parece que um peso gigantesco foi retirado do nosso relacionamento, e estamos livres para encarar a vida com leveza novamente. Sorrimos e nos abraçamos. Vamos viver sob o mesmo teto, em quartos separados. Por enquanto, o arranjo nos satisfaz. As crianças notam a mudança de clima, e nos divertimos juntos como não acontecia há anos.

***

Dias depois, tal como Jeremy havia prometido, recebo uma carta-convite para me tornar membro do fórum global de pesquisa.

Cara dra. Blake:

Espero que esta carta a encontre gozando de boa saúde. Gostaria de convidá-la formalmente a tornar-se membro da nossa equipe particular de pesquisa, dedicada à descoberta da cura da depressão. As suas habilidades específicas e os seus conhecimentos são necessários à função de responsável pela área de Psicologia do Projeto Zodíaco, em colaboração com o trabalho de vários médicos e pesquisadores renomados.

Como já foi informada, trata-se de um projeto altamente confidencial, e assim deve permanecer pelos próximos doze meses, no mínimo. Segue em anexo um extenso termo de confidencialidade que deve ser assinado, antes de lhe serem fornecidas informações adicionais. Se for mantido o ritmo atual, acreditamos ser possível publicar os resultados em dois ou três anos, quando a sua significativa contribuição para os nossos estudos será reconhecida formalmente.

No estágio em que nos encontramos, as pesquisas acontecem quase sempre em horários parciais. Assim, esperamos que consiga acomodá-las à carga horária da universidade. Tomei a liberdade de fazer contato pessoal com o reitor, que concordou em colaborar. Fará parte das suas atribuições o comparecimento a conferências internacionais, a primeira em Londres, no próximo mês. Maiores informações podem ser encontradas nos documentos em anexo. Os honorários serão decididos na próxima quinzena, com a sua presença.

As suas credenciais acadêmicas, bagagem profissional e experiência em recente pesquisa são de suma importância para o andamento do projeto, e valorizamos realmente a sua especial contribuição. Agradecemos por se reunir a nós e esperamos desen-

volver, pelos próximos anos, uma relação proveitosa, leal e produtiva. Aguardamos ansiosamente a sua integração à equipe.

*Cordialmente,
Lionel McKinnon
Presidente*

Sinto um aperto no estômago ao terminar de ler a carta. Ondas de entusiasmo e apreensão se chocam na parte inferior do meu corpo. O rosto queima. O documento que tenho nas mãos parece tão oficial, tão nobre, que o sentido sexual fica perfeitamente disfarçado. Inconscientemente toco o bracelete que trago no pulso.

– Tudo bem? – Robert pergunta, erguendo os olhos do jornal que está lendo.

Com a mão trêmula, entrego a carta a ele.

– Tem ligação com a pesquisa que você e Jeremy discutiram?

Faço que sim.

– Boas-novas! Parabéns! Você trabalhou muito, merece! Isso pede champanhe – ele conclui, com um beijo no meu rosto.

Não posso deixar de perguntar o que fiz para ser premiada com os homens da minha vida.

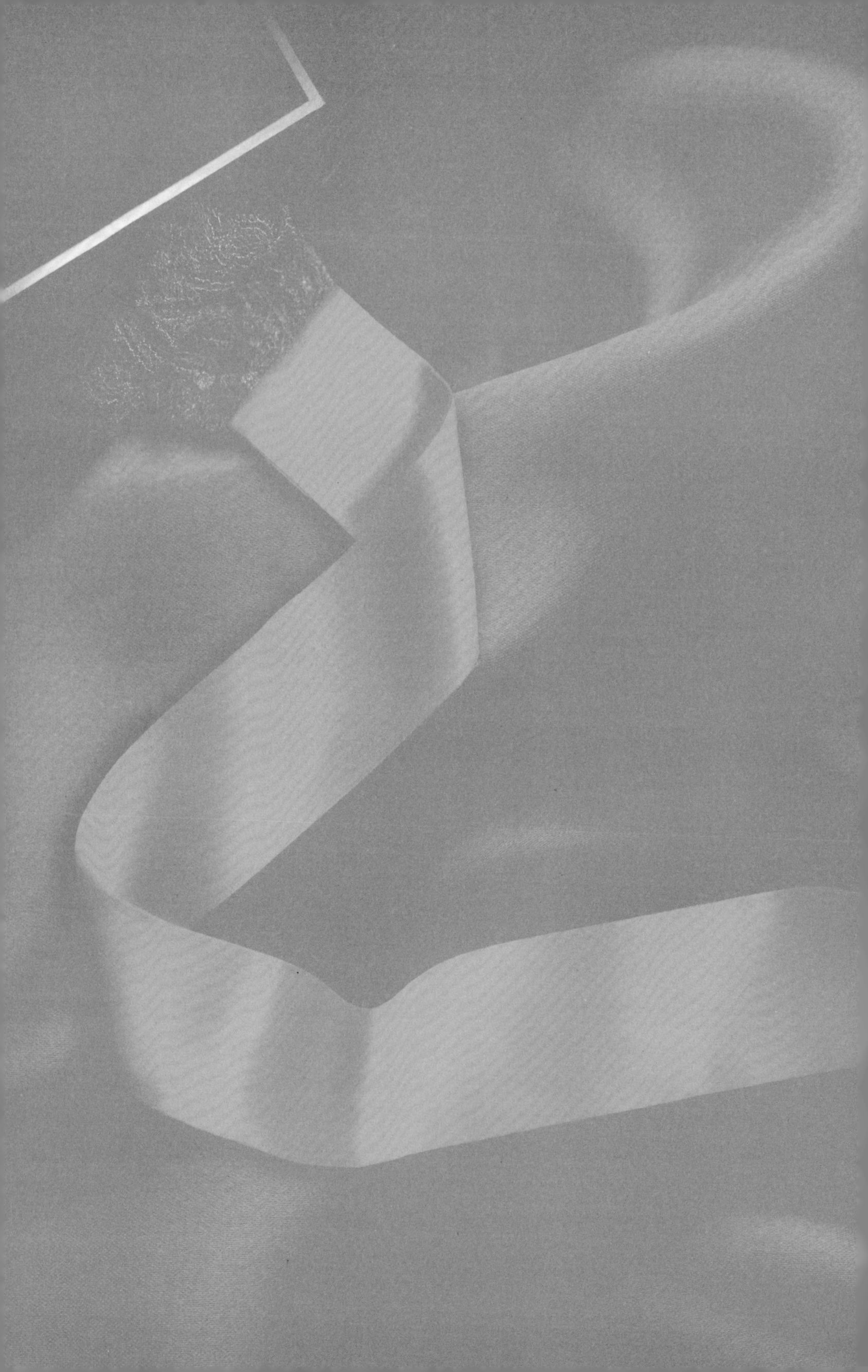

Epílogo

Aqui estou, na primeira classe – o que é outra experiência emocionante – à espera da decolagem. Jamais pensei que isso fosse acontecer comigo, nem em um milhão de anos. Tenho a impressão de que, aos poucos, me tornarei a pessoa que nasci para ser. A proximidade do encontro com Jeremy me deixa excitadíssima. As borboletas que senti no estômago, antes de encontrá-lo em Sydney, estão lá novamente, mas desta vez são grandes e coloridas, e sua presença é bem-vinda, por me mostrar que estou viva e cheia de energia.

Penso no dia em que aproveitei a hora do almoço para um passeio pelo centro da cidade. Passava em frente a uma loja que vende selas e estribos, quando percebi com o canto do olho um chicote de montaria. Fortes emoções ricochetearam tão ferozmente pelo meu corpo, que por um momento a vista escureceu e senti dificuldade de respirar. Precisei me encostar à vitrine. Tinha sido estimulada eroticamente! O zumbido interno de baixa intensidade, ao qual me acostumei depois daquela semana especial, evoluiu para vibrações excitantes que viajavam do clitóris aos mamilos. Felizmente eu vestia um sutiã acolchoado. Um calor que parecia ouro derretido me queimava as partes íntimas. Uma das minhas alunas, que passava por acaso, perguntou se eu sentia alguma coisa ou precisava de ajuda. Embora eu fizesse um sinal de "positivo", ela esperou por um minuto que eu me recuperasse, para confirmar se estava tudo realmente em ordem. Céus, se ela soubesse... Estou aflita para comentar com Jeremy esses meus surtos psicofísicos, que acontecem sempre que ouço, vejo ou me vem à memória qualquer coisa relacionada àquele fim de semana. Uma parte de mim se aflige quando isso ocorre em público, mas estou fascinada pelo gatilho que provoca os episódios. Ao mesmo tempo, espero ansiosamente pela próxima experiência.

Os voos têm conexão. Como não há atraso em Cingapura, chego a Londres no horário previsto.

Assim que atravesso a porta giratória do aeroporto de Heathrow, reparo em um homem uniformizado segurando uma placa na qual está escrito meu nome. É bom viajar assim! Trocamos cumprimentos, e ele pega minha bagagem.

Junto ao sedã preto que nos aguarda com a porta aberta, há outro homem vestido da mesma maneira.

– Bom dia, dra. Blake. Seja bem-vinda a Londres.

– Bom dia. Obrigada. É muito bom estar aqui.

Agradeço com um sorriso, ao vê-lo segurar a porta para eu entrar, enquanto o outro guarda a bagagem. Assim que me acomodo no banco traseiro e começo a verificar se tenho comigo tudo de que preciso, ouço alguém chamar meu nome. Para minha surpresa, Jeremy e Samuel correm atrás do carro. Que diabos estão fazendo aqui? Só eram esperados à noite! Chego a acenar, mas o auxiliar do motorista fecha a porta rapidamente e joga-se às pressas no banco da frente. Vejo o pânico no rosto de Jeremy e Samuel, que correm na minha direção. Quando vou pedir ao motorista que espere por eles, o carro arranca, e sou jogada contra o assento. Digo a ele que pode parar, eu conheço os dois. Jeremy está agora batendo no vidro de trás. Quero abrir a janela, para falar com ele, mas não encontro botão algum. Os vidros escurecem, e não vejo mais nada do que se passa lá fora. A porta trava. Quando tento me dirigir ao motorista, uma barreira escura sobe, separando o assento traseiro do assento dianteiro. Eu grito e esmurro os vidros. A velocidade aumenta. A lembrança da expressão assustada no rosto de Jeremy me faz estremecer. Remexo a bolsa, à procura do telefone. Sem serviço. Não entendo! Estou em um carro de vidros escurecidos, sem recepção para telefone celular. Quem são estes homens? As portas estão trancadas. Eu grito e soco os vidros novamente. O que está acontecendo? De repente, sinto-me fraca e tonta. E não sinto mais nada...

QUER FICAR POR DENTRO DO QUE ACONTECE NA EDITORA FUNDAMENTO? ENTÃO CADASTRE-SE E RECEBA POR E-MAIL TODAS AS NOVIDADES!

*Nome

Endereço

Cidade   Estado   CEP

Sexo M ☐ F ☐ Nascimento   Telefone

*E-mail

Costumo comprar livros: Em livrarias ☐ Em feiras e eventos ☐ Na internet ☐
                        Outros ☐ Descreva

* Interesso-me por livros: Infantis ☐ Infantojuvenis ☐ Romances ☐ Negócios ☐ Autoajuda ☐

*Preenchimento obrigatório

EDITORA FUNDAMENTO
www.editorafundamento.com.br

CARTÃO-RESPOSTA

NÃO É NECESSÁRIO SELAR

O Selo será pago pela Editora Fundamento Educacional Ltda.

"NÃO COLOCAR EM CAIXA DE COLETA
ENTREGAR NO GUICHÊ DE UMA AGÊNCIA DA ECT"

80240-240 – A/C EDITORA FUNDAMENTO

Cartão-
-Resposta
9912208203/08 – DR/PR
EDITORA
FUNDAMENTO
CORREIOS